LÄROBOK

Anette Althén Kerstin Ballardini Sune Stjärnlöf Åke Viberg

Extramaterial på webben
Till den här boken finns ljudfiler med bokens texter och hörövningar, webbövningar samt filmer.
För att komma åt materialet, gå till: **www.nok.se/mal**
Klicka på "Extramaterial" och följ anvisningarna.

Användarnamn: MalEtt
Lösenord: MalEtt112

NATUR & KULTUR

NATUR & KULTUR
Box 27323, 102 54 Stockholm
Kundservice: Tel 08-453 87 00, kundservice@nok.se
Redaktion: Tel 08-453 86 00, info@nok.se
www.nok.se

Order och distribution: Förlagssystem, Box 30195, 104 25 Stockholm
Tel 08-657 95 00, order@forlagssystem.se
www.fsbutiken.se

Projektledare: Karin Lindberg
Textredaktörer: Ewa Holm och Ingrid Lane
Bildredaktör: Riitta Stenius
Grafisk form och omslag: Johanna Möller
Illustrationer speciellt för denna bok: Annie Boberg
Foton speciellt för denna bok: Lorna Bartram och Sebastian Uddén
Omslagsfoto: Nico Södling/Johnér och Matton Collection/Johnér
Kartor: Hans Drake (omslagets insida) och Stig Söderlind (s 12-13)

Förlaget Natur & Kultur är en stiftelse som utan ägare kan agera självständigt
och långsiktigt. Vårt mål är att genom stöd, inspiration, utbildning och
bildning verka för tolerans, humanism och demokrati.

Tryckt i Indien 2016
Fjärde upplagans sjätte tryckning
ISBN 978-91-27-42561-3

Till läraren

Mål 1 är ett nybörjarläromedel i svenska som i första hand är tänkt för vuxna inom utbildning i svenska för invandrare. Den består av två elevböcker – en lärobok och en övningsbok – samt en lärarhandledning. Till läromedlet finns också webbövningar. Läroboken och övningsboken finns även som digitalböcker. Fortsättningen, *Mål 2*, har motsvarande komponenter. *Mål 1* och *Mål 2* kan kompletteras med *Målgrammatiken*, som finns på ett flertal olika språk.

Mål 1 är uppdelad i 10 kapitel. Varje kapitel tar upp ett eller flera teman.

Mål 1 Lärobok innehåller olika texttyper, till exempel berättande och beskrivande text, faktatexter och dialoger. Här finns också sådant som eleverna behöver träna på för att klara vardagen: blanketter, sms, mejl, annonser och kvitton. Några enkla tabeller och diagram ingår också i *Mål 1* – flera kommer i *Mål 2*.

Intalade versioner av alla texter finns på *Måls* webbplats. Spårnummer anges vid texterna i boken. Intalningarna är lagrade som mp3-filer. Samma intalningar finns också för klassrumsbruk på två cd-skivor som ligger i *lärarhandledningen*.

Texterna följs av listor med *nya ord* som eleverna skriver med översättning i egen skrivbok. I alla ord är långa ljud markerade med streck. Alla ord i läroboken finns också ordnade alfabetiskt med sidhänvisning som kopieringsunderlag i lärarhandledningen.

Efter texterna finns läsförståelse-, ord-, diskussions- och grammatikövningar.

Grammatiken i *Mål 1* följer en strikt progression. Ett nytt grammatikmoment introduceras först i en text. Momentet förklaras sedan i en eller flera grammatikrutor med hänvisningar till Målgrammatiken. Därefter kommer övningar på det nya momentet.

Vid en del övningar står symboler som visar att de är tänkta för arbete i par eller grupp. Från många texter och övningar finns möjlighet att gå vidare till *övningsboken*.

I varje kapitel finns hörövningar. Symbolen visar att eleverna ska lyssna på lärobokens ljudfiler på webben.

På färgade sidor finns övningar i *uttal* och *betoning* (prosodi).

I slutet av varje kapitel ligger ett *bildtema* som är tänkt som underlag för fria samtal. På sidorna finns några frågor som kan vara till hjälp för att få i gång samtalet. I övningsboken finns fler övningar till bilderna.

I lärarhandledningen får du tips på hur ni kan arbeta med *Mål 1*. Där finns också kopieringsunderlag med extra övningar, tester och facit till lärobokens övningar.

Vi hoppas att du och dina elever ska trivas med *Mål 1*.

Författarna

Innehåll

1

Vad heter du?

A **Lyssna och läs.** 

Vad heter du?

Jag heter Ellen.

Jag heter Jonas.

Jag heter Emil.

Jag heter Klara.

LÅNG VOKAL	LÅNG KONSONANT
Emil	Ellen
Tina	Linda
Jonas	Olle
Klara	Hassan

Jag heter Linda.

Jag heter Hassan.

Jag heter Tina.

Jag heter Olle.

NYA ORD

vad	jag	en konsonant
heter	lång	nya (ny)
du	en vokal	ord (ett ord)

B Skriv svar.

Vad heter du? Roanne Lilley

1 Hej!

Lyssna och läs. 3

1

JONAS: Hej!

HASSAN: Hej!

JONAS: Hur är det?

HASSAN: Bra, tack. Och du?

JONAS: Bara fint.

HASSAN: Ha det så bra!
Vi ses!

JONAS: Ja, hej då!

HASSAN: Hej hej.

2

EN LÄRARE: Varsågod!

EN ELEV: Tack!

NYA ORD

hej	bra	Ha det så bra!	ses	varsågod
Hur är det?	tack	ha	ja	en elev
hur	och	så	hej då	
är (vara)	bara	Vi ses!	då	
det	fint (fin)	vi	en lärare	

+ Öva mera i övningsboken, sidan 4.

Alfabetet

A **Lyssna och läs.** 

Stora bokstäver

A B C D E F G H I J K L M N O P Q R S T U V W X Y Z Å Ä Ö

en vokal — en konsonant

Små bokstäver

a b c d e f g h i j k l m n o p q r s t u v w x y z å ä ö

Q och W finns bara i namn.

Namn börjar med stor bokstav:
Ellen, Emil, Linda, Jonas.

E = stor bokstav
e = liten bokstav

B **Lyssna och skriv.** 5

1 J ___ n a ___

2 ___ ___ ___ d ___

3 ___ ___ ___ ___

4 ___ ___ ___ ___

5 ___ ___ ___ ___ ___ ___

6 ___ ___ ___ ___ ___

7 ___ ___ ___ ___

NYA ORD

alfabetet (ett alfabet)
stora (stor)
bokstäver (en bokstav)
små (liten)
finns (finnas)
i
namn (ett namn)
börjar (börja)
med

+ Öva mera i övningsboken, sidan 5–6.

1 Hur stavas det? -How do you spell that?

A Lyssna och läs. 

EVA: Hej! Jag heter Eva. Vad heter du?

AHMED: Ahmed.

EVA: Hur stavas det?

AHMED: A-h-m-e-d.

EVA: A-m-h. (wrong)

AHMED: Nej, det är fel. A-h-m-e-d.

EVA: A-h-m-e-d?

AHMED: Ja, det är rätt. (right)

NYA ORD

Hur stavas det?
stavas
det
nej
fel
rätt

B **Öva i par. Fråga och svara. Skriv svar.**

Vad heter du? Jag heter Roanne Lilley

Hur stavas det? R-o-a-n-n-e L-i-l-l-e-y

C **Öva dialoger som i A. Använd två av personerna här.**

Leila

Adrian

Panida

Jag

+ Öva mera i övningsboken, sidan 7.

1

Länder och världsdelar

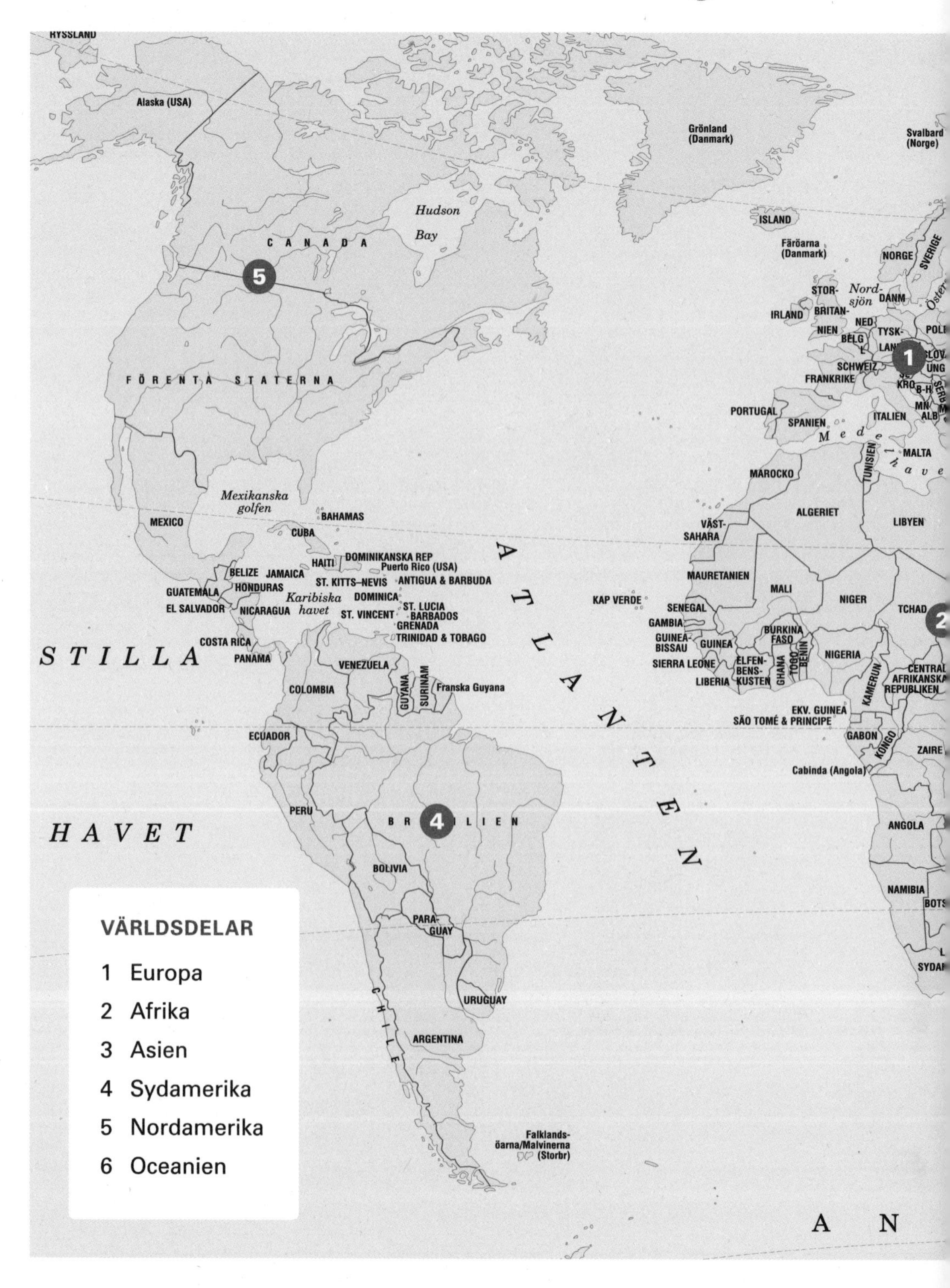

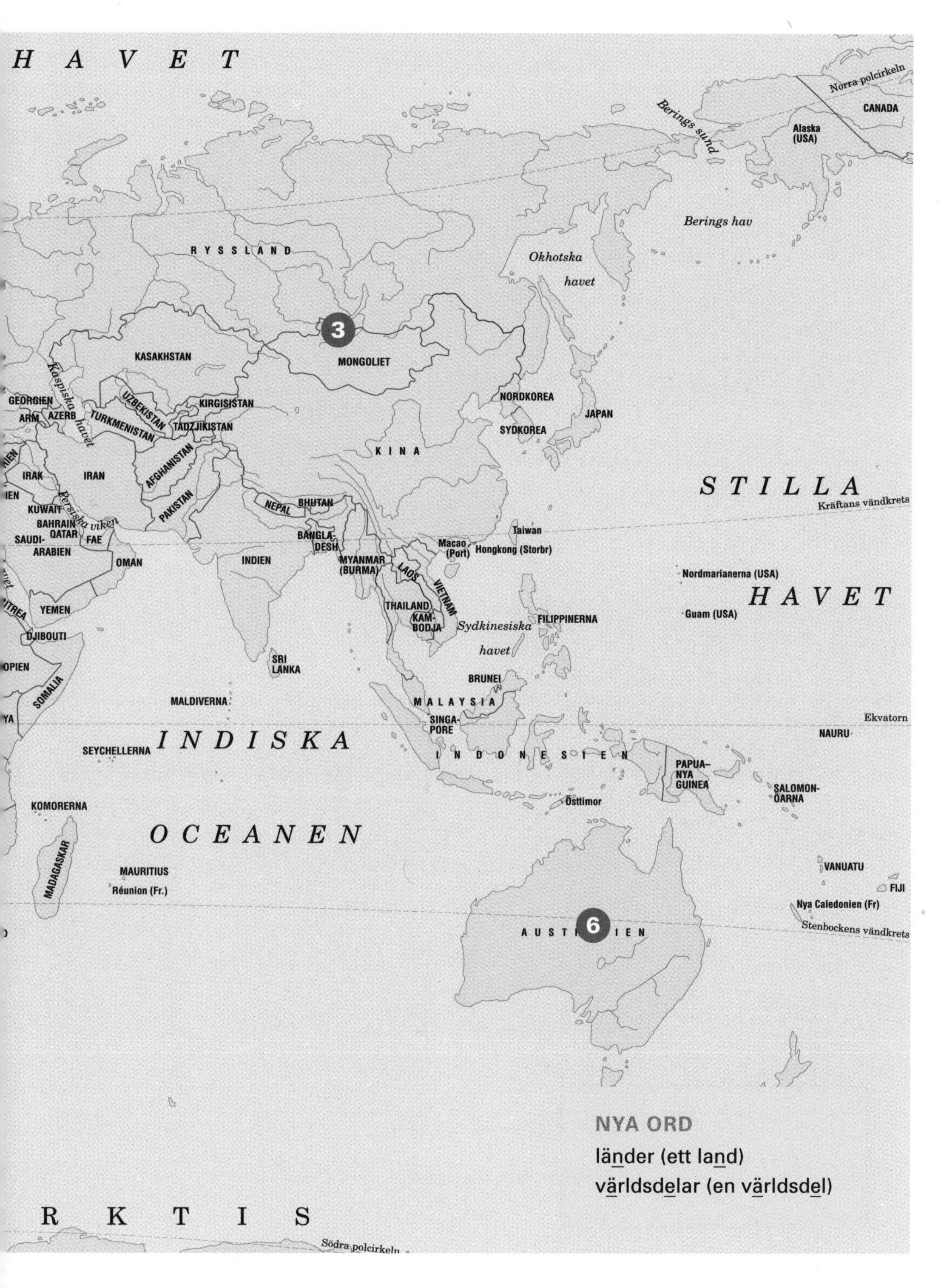

NYA ORD

länder (ett land)

världsdelar (en världsdel)

1

Var kommer du ifrån? - Where are you from?

A **Lyssna och läs.** 

GALINA: Hej! Jag heter Galina. Vad heter du?

RANA: Rana.

GALINA: Var kommer du ifrån?

RANA: Från Irak. Och du?

GALINA: Jag kommer från Ryssland.
Vad talar du för språk? - what language do you speak.

RANA: Jag talar arabiska och engelska och lite svenska. Och du då?

GALINA: Jag talar ryska och svenska och lite engelska.

NYA ORD
var ... ifrån
var
kommer (komma)
ifrån
från
vad ... för
talar (tala)
ett språk
arabiska
engelska
lite
svenska
Och du då?
ryska

B **Fyll i. Använd informationen i A.**

Namn: Galina

Land: Ryssland

Språk: ryska, svenska

engelska

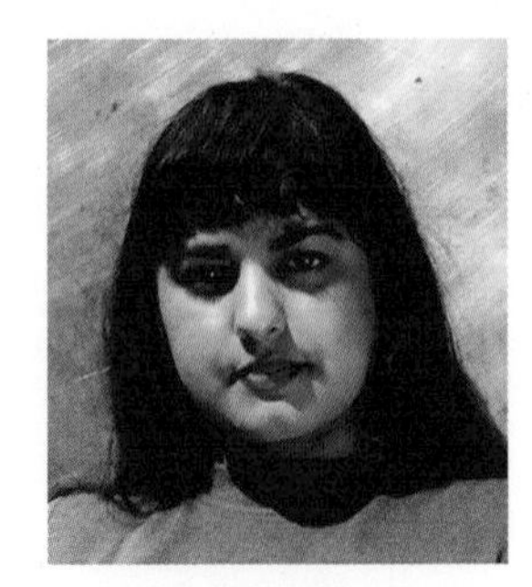

Namn: Rana

Land: Irak

Språk: arabiska

engelska Svenska

9

LAND	SPRÅK	LAND	SPRÅK
England	engelska	Polen	polska
Finland	finska	Ryssland	ryska
Frankrike	franska	Somalia	somaliska
Grekland	grekiska	Spanien	spanska
Kina	kinesiska	Sverige	svenska
Irak	arabiska	Thailand	thailändska
Iran	persiska		

C Öva dialoger som i A. Använd två av personerna här. 

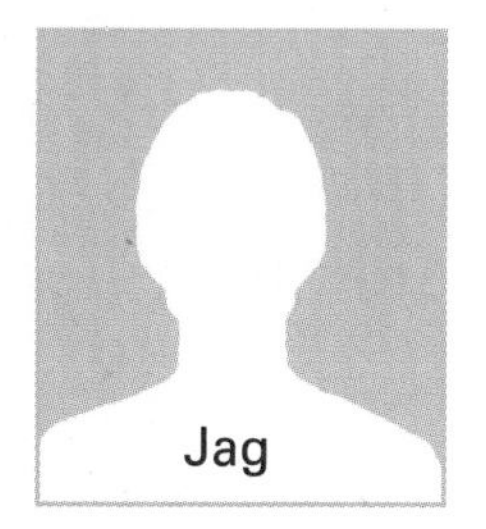

Leila	Adrian	Panida	Roanne
Iran	Polen	Thailand	Skotland
persiska	polska	thailändska	engelska

D Lyssna och skriv.  

1 Var kommer Nasir ifrån? ~~Spain~~ Iran

2 Var kommer Maria ifrån? ~~Iran~~ Spain

3 Vad talar Nasir för språk? Sweden

4 Vad talar Maria för språk? Spanish English little Swedish

+ Öva mera i övningsboken, sidan 8–9.

1

Var bor de? – Where do they leave?

A Lyssna och läs. 

Var bor Leila?

Hon bor i Malmö.

Var bor Adrian?

Han bor i Umeå.

Var bor Erik och Margit?

De bor i Göteborg.

NYA ORD
bor (bo)
de
hon
han

§ 2.6

Leila = hon
Adrian = han
Erik och Margit =de (dom)

Vi skriver **de**. Vi säger **dom**.

B Skriv svar.

Var bor du? Jag bor Edinburgh och Oban

C **Lyssna och läs.** 12

Vad heter hon?	Hon heter Leila.
Var kommer hon ifrån?	Hon kommer från Iran.
Vad talar hon för språk?	Hon talar persiska.
Var bor hon?	Hon bor i Malmö.

D **Öva i par. Fråga och svara som i C.**

Adrian	Panida	Erik och Margit
Polen	Thailand	Sverige
polska	thailändska	svenska
Umeå	Sundsvall	Göteborg

E **Öva i par. Fråga och svara som i C.**

?	?	?

+ Öva mera i övningsboken, sidan 10–11.

1 Räkna till 20

A Lyssna och läs. 13

0	noll		
1	en, ett	11	elva
2	två	12	tolv
3	tre	13	tretton
4	fyra	14	fjorton
5	fem	15	femton
6	sex	16	sexton
7	sju	17	sjutton
8	åtta	18	arton
9	nio	19	nitton
10	tio	20	tjugo

NYA ORD
räkna
till

B Skriv siffror.

fem	5	nitton	19	tolv	12
åtta	8	fjorton	14	två	2
tio	3	noll	0	nio	9
arton	18	sexton	16	elva	11
fyra	4	tjugo	20	sjutton	17
femton	15	sju	7	tretton	13

+ Öva mera i övningsboken, sidan 12.

Hur gammal är du?

1

A Lyssna och läs. 

Hur gammal är du?

Jag är fem år.

Jag är sjutton år.

NYA ORD
hur gammal
gammal
år (ett år)

B Vad tror du? Skriv svar.

1 Hur gammal är han?

han är sex

2 Hur gammal är hon?

hon är fem

3 Hur gamla är de?

De är åtta

1 I skolan

A Lyssna och läs. 15

en skola
ett klassrum
en lektion
en läxa

en lärare
en klocka
en tavla
en cd-spelare
ett fönster
en pärm
ett bord
en dator
en elev
en stol
ett papper
en penna
ett suddgummi
ett block
en linjal
en väska
en bok
ett lexikon

EN-ORD	ETT-ORD
en skola	ett klassrum
en penna	ett suddgummi

§ 2.5

B **Skriv en-ord och ett-ord.**

EN-ORD	ETT-ORD
en skola	ett klassrum
en lektion	ett fönster
en läxa	ett bord
en klocka	ett suddgummi
en stol	ett lexikon
en bok	ett block
en väska	ett papper
en linjal	
en penna	
en elev	
en dator	
en pärm	
en tavla	

+ Öva mera i övningsboken, sidan 13–14.

1

Jag heter Jonas

A Lyssna och läs. 16

Jag heter Jonas.
Jag är gift med Ellen.
Vi har två barn, Emil
och Klara.
Vi heter Åberg i
efternamn.
68

Jonas är ett förnamn. Ellen är också ett förnamn.
Åberg är ett efternamn.

NYA ORD

gift	ett efternamn	sambo	en dotter
har (ha)	ett förnamn	min, mitt, mina	en mamma
barn (ett barn)	också	en man	en pappa
i efternamn	singel	en son	en fru

Jag heter Tina
Nykvist.
Jag är singel.

Jag heter Hassan Scali.
Jag är sambo med
Linda Nilsson.

Min man heter Jonas.
Vi har en son. Han heter
Emil. Vi har en dotter.
Hon heter Klara.

Min mamma
heter Ellen.
Min pappa heter Jonas.

Min fru
heter Ellen.

B Skriv svar.

1 Vad heter Tina i efternamn? Nykvist

2 Vad heter Jonas i efternamn? Åberg

3 Vad heter du i förnamn? Roanne

4 Vad heter du i efternamn? Lilley

+ Öva mera i övningsboken, sidan 15–16.

1 Vad gör de?

A **Lyssna och läs.** 17

1 Han sitter.

2 Han står.

3 De går.

4 Hon sover.

5 Han läser.

6 Hon skriver.

NYA ORD

gör (göra)	sover (sova)
sitter (sitta)	läser (läsa)
står (stå)	skriver (skriva)
går (gå)	

7 De cyklar.

8 Han äter frukost.

9 De åker buss.

10 Hon dricker kaffe.

11 Hon lagar mat.

12 Hon lyssnar på musik.

NYA ORD

cyklar (cykla)
äter (äta)
en frukost
åker (åka)
en buss
dricker (dricka)
(ett) kaffe
lagar (laga)
(en) mat
lyssnar (lyssna) på
(en) musik

13 Hon talar i telefon.

14 Han kör bil.

15 De tittar på teve.

NYA ORD

en telefon
kör (köra)
en bil
tittar (titta) på
(en) teve

De här orden är verb: § 2.1

cyklar	har	lyssnar	sover	åker
dricker	heter	läser	står	är
går	kör	sitter	talar	äter
gör	lagar	skriver	tittar	

B **Skriv verb.**

▶ Jonas _dricker_ kaffe.

1 Emil _talar_ i telefon.

2 Linda _lyssnar_ på musik.

3 Klara _tittar_ på teve.

4 De lagar mat.

5 Han är gift med Ellen.

6 De har två barn.

är - To be
har - To have

1

SUBJEKT	VERB	OBJEKT
Ellen	äter.	
Hon	äter	frukost.

§ 3.1
§ 3.2
§ 3.3

C Skriv meningar.

stor bokstav — punkt

de frukost äter	▶ De äter frukost.
lagar mat han	1 Han lagar mat (cooks food)
kör bil hon	2 Hon kör bil (drives car)
skriver hon	3 Hon skriver (writes)
sover de	4 De sover (sleeps)
heter Ellen hon	5 Hon heter Ellen (name)
de går	6 De går (walks)
åker buss hon	7 Hon åker buss (takes bus)
cyklar de	8 De cyklar (cycles)

+ Öva mera i övningsboken, sidan 17.

Uttal

i	y	u		o
e	ö			å
ä				
			a	

il	yta	ur	ok
fil	byta	bur	bok
el	ösa		åt
fel	lösa		båt
äta			al
mäta			bal

---

i	y	u		o
e	ö			å
ä				
			a	

LÅNG VOKAL		LÅNG KONSONANT
liga vila	i	ligga villa
rot kosa	o	rott kossa
hat lam	a	hatt lamm

---

v – f		b – p		d – t		g – k	
viska	fiska	bil	pil	dimma	timma	gul	kul
vår	får	bar	par	dagg	tagg	går	kår

Betoning

19

Betoning av verb och objekt i påståendesatser

Ellen äter.	Ellen äter frukost.
Hon äter.	Hon äter frukost.

Lyssna, markera, läs.

1

Jonas läser.

Han dricker.

Han äter.

2

Jonas läser en bok.

Han dricker kaffe.

Han äter frukost.

3

Hon tittar.

Hon tittar på teve.

Hon dricker.

Hon dricker kaffe.

Hon lyssnar.

Hon lyssnar på musik.

4

Ellen skriver.

Hon kör bil.

Hon läser.

Hon lagar mat.

Hon tittar på teve.

Jonas dricker kaffe.

Han cyklar.

Han äter frukost.

Han sover.

Han åker buss.

Möten

Var kommer de ifrån?

Vad säger de?

Hur hälsar man i ditt hemland?

+ Öva mera i övningsboken, sidan 19.

2

Klara ringer till mormor

A Lyssna och läs. 

Emil och Klara är syskon. Emil är 17 år och Klara är 5 år.

I dag är det söndag. Klockan är åtta på kvällen. Det är kallt ute och det regnar. Emil och Klara är hemma. Emil tittar på fotboll på teve. Klara tittar inte på teve. Hon ringer till mormor.

MORMOR: Andersson.

KLARA: Hej, mormor! Det är Klara.

MORMOR: Hej, Klara. Hur är det?

KLARA: Det är bra.

MORMOR: Vad gör ni i dag?

KLARA: Emil tittar på teve.
Mamma och pappa är inte hemma.
De är på bio.

MORMOR: Jaså. Ska du sova snart?

KLARA: Nej, jag är inte trött.
Hej då, mormor!

MORMOR: Hej då, Klara!
Hälsa Emil! Och sov gott!

KLARA: Tack!

NYA ORD

ringer (ringa)	på kvällen	hemma	ska
en mormor	på	inte	snart
syskon	en kväll	ni	trött
i dag	kallt	bio	hälsa
en söndag	ute	jaså	sov gott
klockan	regnar (regna)	ska ... sova	gott

Formen **sova** är infinitiv. I ett lexikon (en ordbok) står verben ofta i infinitiv. I ordlistan i Mål 1 står infinitiv inom parentes.

B Sätt kryss för rätt svar.

1 Vad gör Emil?

- [ ] Han spelar fotboll.
- [x] Han tittar på teve.
- [ ] Han ringer till mormor.

2 Vad gör Klara?

- [ ] Hon tittar på fotboll.
- [ ] Hon sover.
- [x] Hon ringer till mormor.

3 Vad heter mormor i efternamn?

- [ ] Klara.
- [x] Andersson.
- [ ] Åberg.

4 Var är Ellen och Jonas?

- [x] De är på bio.
- [ ] De är på teve.
- [ ] De är hemma.

C Diskutera.

Är Klara trött?

2

§ 4.1

SUBJEKT	VERB	INTE	
Klara	ringer.		
Emil	ringer	inte.	
Emil	tittar		på teve.
Klara	tittar	inte	på teve.
Emil	är		hemma.
Pappa	är	inte	hemma.

D Skriv meningar.

Emil i telefon inte talar	▶ *Emil talar inte i telefon.*
äter inte Klara	1 Klara ~~inte~~ äter inte
inte tittar mormor på teve	2 Mormor tittar inte på teve
sover inte Emil	3 Emil sover inte
fotboll Emil inte spelar	4 Emil spelar inte fotboll
Emil trött är inte	5 Emil är inte trött
det inte regnar	6 Det inte regnar
ringer till mormor Emil inte	7 Emil ringer inte till mormor

I en mening finns ord.

ORD
Klockan är åtta på kvällen.

E Dela i ord. Skriv meningar. Titta på exemplet.

▶ Emil|och|Klara|är|hemma.

Emil och Klara är hemma.

1 Klaratittarintepåteve.

Klara tittar inte på teve

2 Deärpåbio.

De är på bio

3 Hanlyssnarintepåmusik.

Han lyssnar inte på musik.

§ 1.3

En mening börjar med stor bokstav och slutar med punkt:

Mormor talar i telefon.

stor bokstav — punkt

Namn börjar med stor bokstav:

Hon talar med Klara.

stor bokstav

F Skriv meningar med stor bokstav och punkt.

det är söndag Ellen och Jonas är inte hemma de är på bio det regnar Emil och Klara är hemma

+ Öva mera i övningsboken, sidan 21–22.

Betoning

21

2

Betoning av verb och objekt i nekade påståendesatser

Klara äter inte. Klara äter inte frukost.
Hon äter inte. Hon äter inte frukost.

Lyssna, markera, läs.

1

Emil äter inte.
Han dricker inte.
Han spelar inte.
Han läser inte.

2

Emil äter inte frukost.
Han dricker inte kaffe.
Han spelar inte fotboll.
Han lyssnar inte på musik.

3

Han kör inte.
Han kör inte bil.
Han äter inte.
Han äter inte frukost.
Han dricker inte.
Han dricker inte kaffe.
Han talar inte.
Han talar inte spanska.

4

Ellen sover inte.
Hon spelar inte fotboll.
Hon åker inte.

Jonas åker inte buss.
Han läser inte.
Han talar inte franska.

Klara lyssnar inte.
Hon dricker inte kaffe.

Emil cyklar inte.
Han kör inte bil.

Vad är det för väder?

A **Lyssna och läs.** 

1 Det är fint väder.
Solen skiner.

2 Det regnar.

3 Det blåser.

4 Det snöar.

5 Det är varmt.

6 Det är kallt.

NYA ORD

ett väder solen skiner (skina) blåser (blåsa) varmt

B **Skriv svar.**

Vad är det för väder i dag?

___

C **Diskutera.**

Tittar du på vädret på teve? Varför?

+ Öva mera i övningsboken, sidan 23.

En vecka

A Lyssna och läs. 

Ellen jobbar måndag till fredag. Men hon gör annat också.
Hon skriver i en kalender vad hon ska göra.

OKTOBER — v 43

22 måndag	23 tisdag	24 onsdag	25 torsdag	26 fredag	27 lördag / 28 söndag
Träna 17.00	Tandläkaren 15.00		Kursen i engelska börjar 18.00	Middag hos Hassan och Linda 18.00	27 lördag: Fika med Tina 11.00 28 söndag

VECKODAGAR
måndag
tisdag
onsdag
torsdag
fredag
lördag
söndag

Fem dagar är vardagar.
Lördag och söndag är helg.

NYA ORD
en vecka
jobbar (jobba)
men
annat
en kalender
v = vecka
träna
17.00 = klockan fem
15.00 = klockan tre
tandläkaren
(en tandläkare)
kursen (en kurs)
18.00 = klockan sex
en middag
hos
fika
en vardag
en helg

B **När gör Ellen det här? Skriv rätt dag under bilderna.**

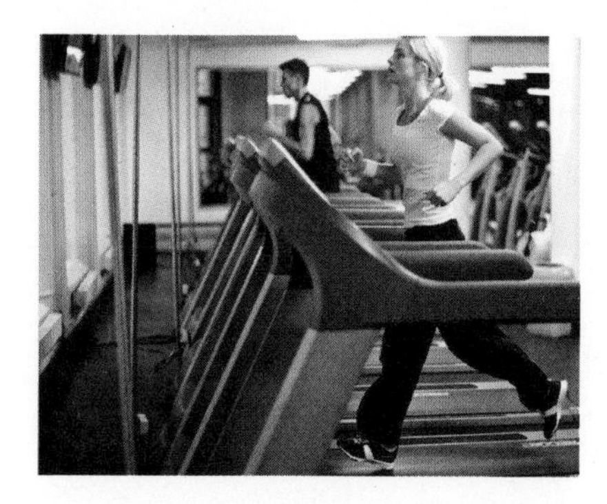

1 ______________________

2 Måndag klockan femton

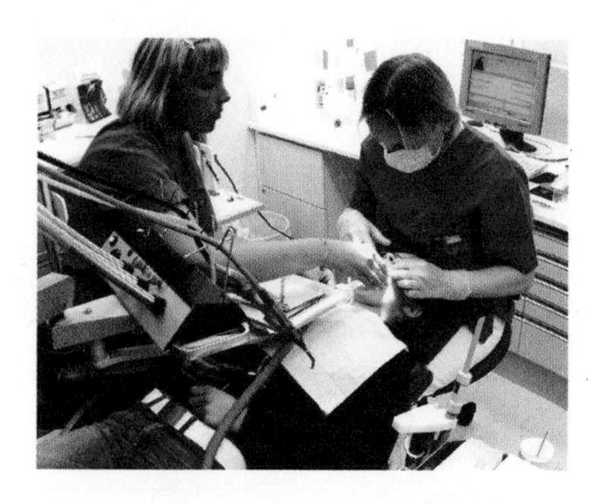

3 Tisdag. klockan [illegible]ton

4 torsdag klockan sexton

C **Skriv svar.**

Vad är det för dag i dag?

Det är ______________________

Namn på veckodagar börjar med liten bokstav: måndag, tisdag, onsdag...

+ Öva mera i övningsboken, sidan 24.

Räkna mera

Lyssna och läs. 

2

20	tjugo
21	tjugoett, tjugoen
22	tjugotvå
23	tjugotre
24	tjugofyra
25	tjugofem
26	tjugosex
27	tjugosju
28	tjugoåtta
29	tjugonio
30	trettio
31	trettioett, trettioen
40	fyrtio
50	femtio
60	sextio
70	sjuttio
80	åttio
90	nittio
100	(ett) hundra

Hur gammal är Jonas?

Han är 35 år.

200	två hundra
250	tvåhundrafemtio
1000	(ett) tusen
10 000	tio tusen
100 000	(ett) hundra tusen
1 000 000	en miljon
15 000 000	femton miljoner
1 000 000 000	en miljard

NYA ORD
mera
säger (säga)

Vi skriver trettio.
Vi säger tretti.

+ Öva mera i övningsboken, sidan 25.

Vad har du för telefonnummer?

A Lyssna och läs. 

ERIK: Vad har du för telefonnummer?
ELIN: 0717893595.
ERIK: Vänta! 07171 ...
ELIN: Nej! 07178.
ERIK: 07178 ...
ELIN: 93595.
ERIK: 0717893595.
ELIN: Just det. - exactly
ERIK: Tack.

NYA ORD
ett telefonnummer
vänta
just det

B Lyssna och skriv. 

Vad har de för telefonnummer?

1 Skolan 229800
2 Anders 277
3 Olle Ivarsson 0701963725б
4 Lena 871990
5 Taxi 371700

C Öva i par. Fråga och svara. Skriv svar. 

Vad har du för telefonnummer?

Namn: Roanne Lilley

Telefonnummer: 07771325869

+ Öva mera i övningsboken, sidan 26.

På biblioteket

2

A **Lyssna och läs.** 

Jenny är på biblioteket. Susan arbetar där. Hon är bibliotekarie.

JENNY: Hej! Kan du hjälpa mig? Jag vill ha ett lånekort.

SUSAN: Javisst. Ett ögonblick. Vad heter du?

JENNY: Jenny Pettersson.

SUSAN: Hur stavas Pettersson?

JENNY: Med två t och två s.

SUSAN: Vad har du för personnummer?

JENNY: 960130-1242.

SUSAN: Din adress? Var bor du?

JENNY: På Tallvägen 12, i Småstad.

SUSAN: Vad har du för postnummer?

JENNY: 567 10.

SUSAN: Telefonnummer?

JENNY: 071-3344556. Det är min mobil.

SUSAN: Och din e-postadress?

JENNY: jenny.pettersson@minmejl.se.

NYA ORD

biblioteket (ett bibliotek)	kan	javisst	ett postnummer
arbetar (arbeta)	hjälpa	ett ögonblick	en mobil
där	mig (mej)	ett personnummer	en e-postadress
en bibliotekarie	vill ha	din, ditt, dina	en gatuadress
	ett lånekort	en adress	en ort

Efternamn	Pettersson
Förnamn	Jenny
Personnummer	960130-1242
Gatuadress	Tallvägen 12
Postnummer	567 10
Ort	Småstad
Telefonnummer	
Mobil	071-3344556
E-post	jenny.pettersson@minmejl.se

2

B Skriv om dig själv.

Efternamn	
Förnamn	
Personnummer	
Gatuadress	
Postnummer	
Ort	
Telefonnummer	
Mobil	
E-post	

C Öva dialogen i par, men använd informationen i B.

+ Öva mera i övningsboken, sidan 27–28.

Klockan

Vad är klockan?

Hur mycket är klockan?

A **Lyssna och läs.** 28

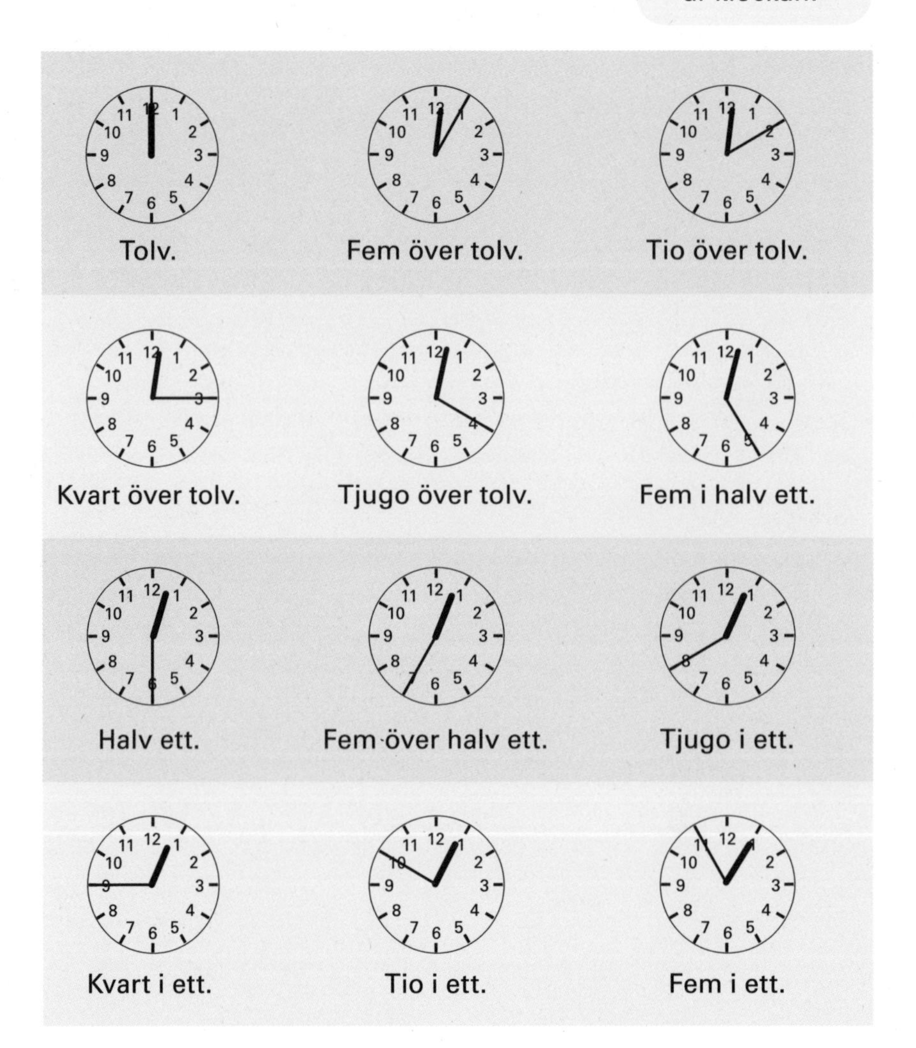

60 minuter är en timme.
30 minuter är en halvtimme.
15 minuter är en kvart.
1 minut är 60 sekunder.

NYA ORD

hur mycket	en timme
mycket	en halvtimme
över	en kvart
i	sekunder
minuter (en minut)	(en sekund)

B **Vad är klockan? Sätt kryss för rätt klocka.**

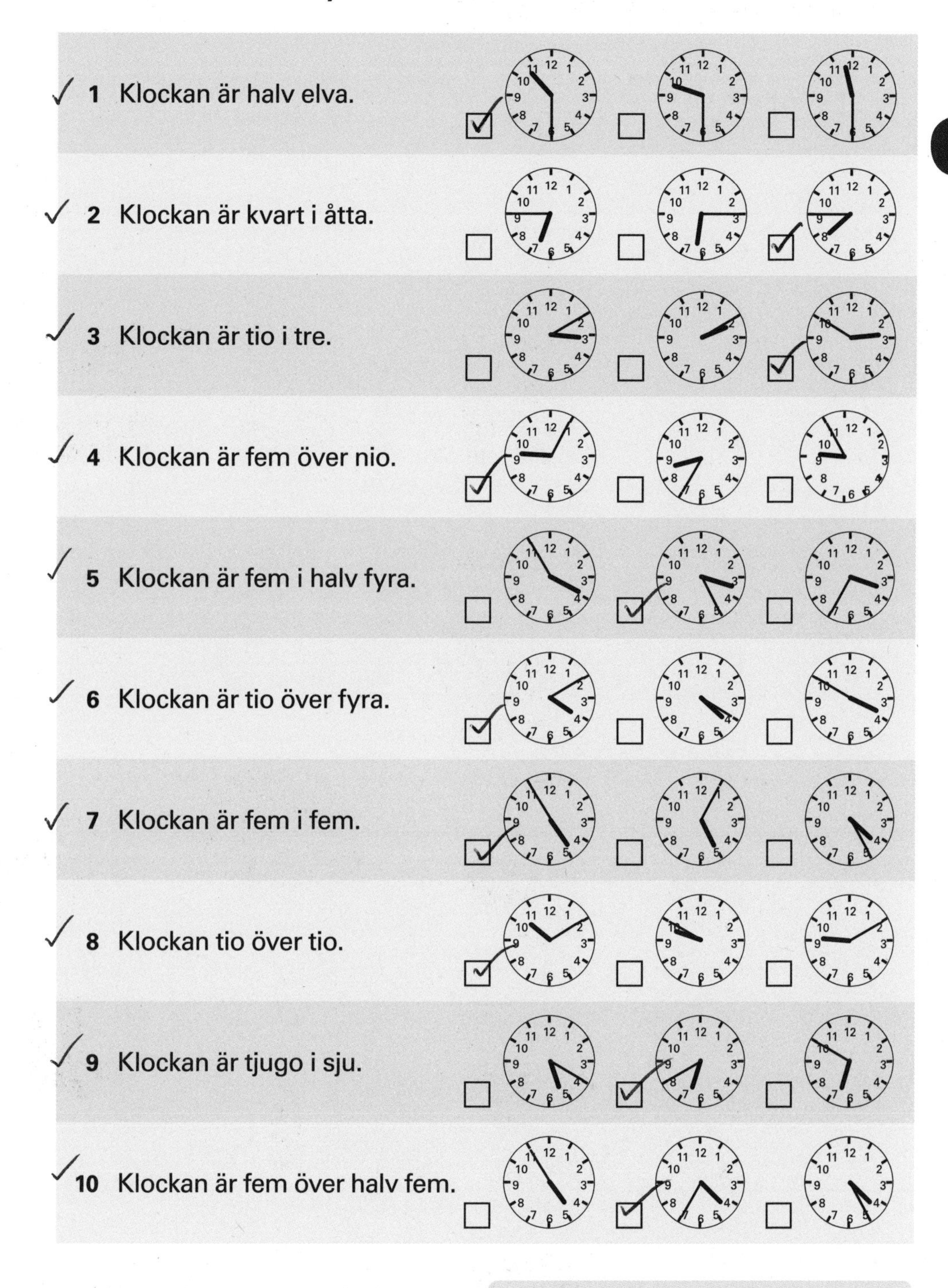

1 Klockan är halv elva.
2 Klockan är kvart i åtta.
3 Klockan är tio i tre.
4 Klockan är fem över nio.
5 Klockan är fem i halv fyra.
6 Klockan är tio över fyra.
7 Klockan är fem i fem.
8 Klockan tio över tio.
9 Klockan är tjugo i sju.
10 Klockan är fem över halv fem.

2

Öva mera i övningsboken, sidan 29.

Kläder och färger

A **Lyssna och läs.** 29

3 en jacka

5 en kavaj

2 en blus

9 en skjorta

14 en slips

4 ett par byxor

1 ett bälte

7 en klänning

6 en kjol

8 ett linne

16 ett par skor

15 ett par strumpor

12 en sjal

11 en tröja

10 en mössa

13 en halsduk

17 ett par handskar

1
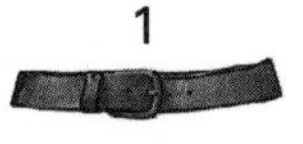

2
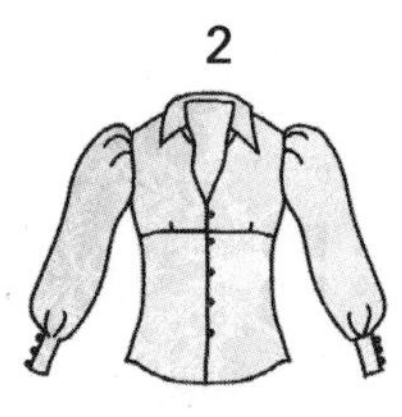

3
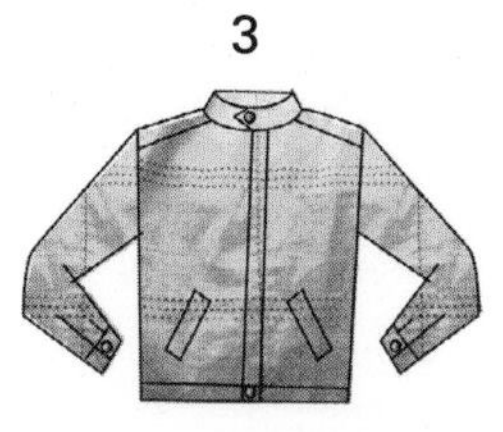

4

5

6

7

8

9

10
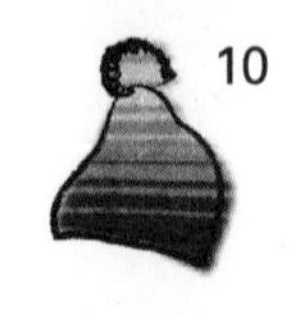

11

12
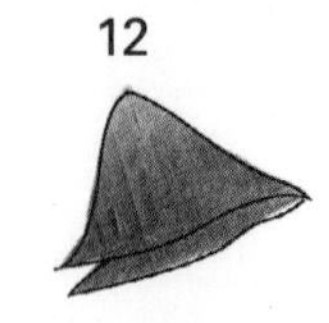

13

14

15

16

17

NYA ORD
kläder
färger (en färg)

B **Skriv rätt siffra vid varje ord i A.**

C **Lyssna och läs.** 30

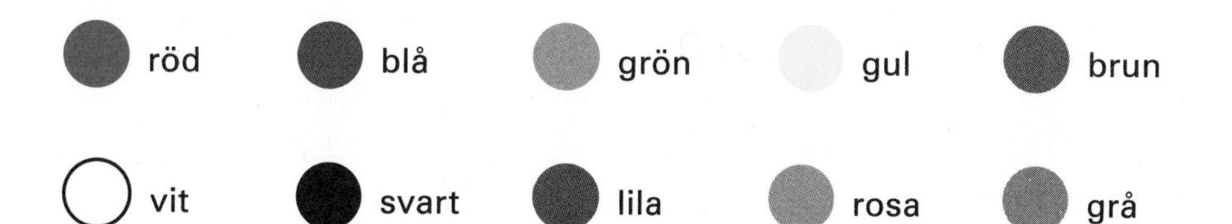

D **Vilka kläder talar de om? Lyssna och sätt kryss för rätt svar.** 31

+ Öva mera i övningsboken, sidan 30–31.

Klara har fått nya kläder

A **Lyssna och läs.** 

Klara har fått nya kläder. Hon ringer till mormor och berättar.

Jag har fått en ny tröja. **Den** är röd.

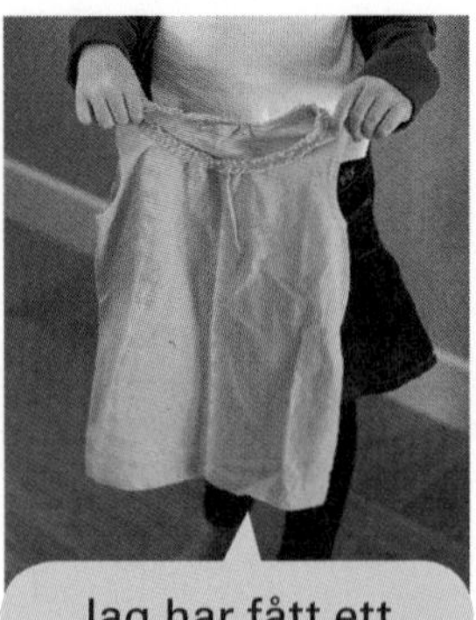

Jag har fått ett linne också. **Det** är rosa.

Jag har fått två kjolar. **De** är jättefina.

§ 2.6

en tröja – **den**
ett linne – **det**
två kjolar – **de (dom)**

NYA ORD

få<u>tt</u> (f<u>å</u>)
berä<u>tt</u>ar (berä<u>tt</u>a)

B **Skriv <u>den</u>, <u>det</u>, <u>de</u>.**

1 Klara har en kjol. __________ är ny.

2 Ellen och Jonas har två barn. __________ heter Klara och Emil.

3 Emil köper en ny tröja. __________ är blå.

4 Ellen har ett bälte. __________ är svart.

5 Jag har ett block. __________ är i skolan.

+ Öva mera i övningsboken, sidan 32.

Tröjan är röd

A **Lyssna och läs.** 

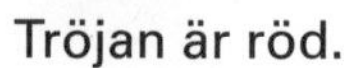

Tröjan är röd.

Linnet är rosa.

Kjolen är ny.

SUBSTANTIV

§ 2.4

§ 2.5

OBESTÄMD FORM		BESTÄMD FORM
en kjol	kjol+en	kjolen
en tröja	tröja+n	tröjan
ett språk	språk+et	språket
ett suddgummi	suddgummi+t	suddgummit

B **Skriv bestämd form.**

	OBESTÄMD FORM	BESTÄMD FORM
▸	en pärm	pärmen
1	en jacka	Jackan
2	ett block	blocket
3	en skjorta	skjortan
4	ett barn	barnet

	OBESTÄMD FORM	BESTÄMD FORM
5	en vecka	veckan
6	ett år	året
7	en bok	boken
8	ett bälte	bältet
9	en lärare	läraren

+ Öva mera i övningsboken, sidan 33.

Vad kostar tröjan?

A **Lyssna och läs.** 34

Ellen behöver köpa nya kläder. Hon tittar i ett reklamblad.
needs to buy

NYA ORD
kostar (kosta)
behöver (behöva)
köpa
ett reklamblad
kr = kronor
en krona

B **Skriv svar.**

▶ Vad kostar tröjan? Den kostar 298 kr.

1 Vad kostar linnet? Det kostar 119 kr

2 Vad kostar bältet? Det kostar 149 kr

3 Vad kostar kjolen? Den kostar 399 kr

SUBSTANTIV		PRONOMEN
OBESTÄMD FORM	**BESTÄMD FORM**	
en tröja	tröjan	den
ett bälte	bältet	det

§ 2.4 § 2.5 § 2.6

2

C Öva i par. Fråga och svara varandra som i B.

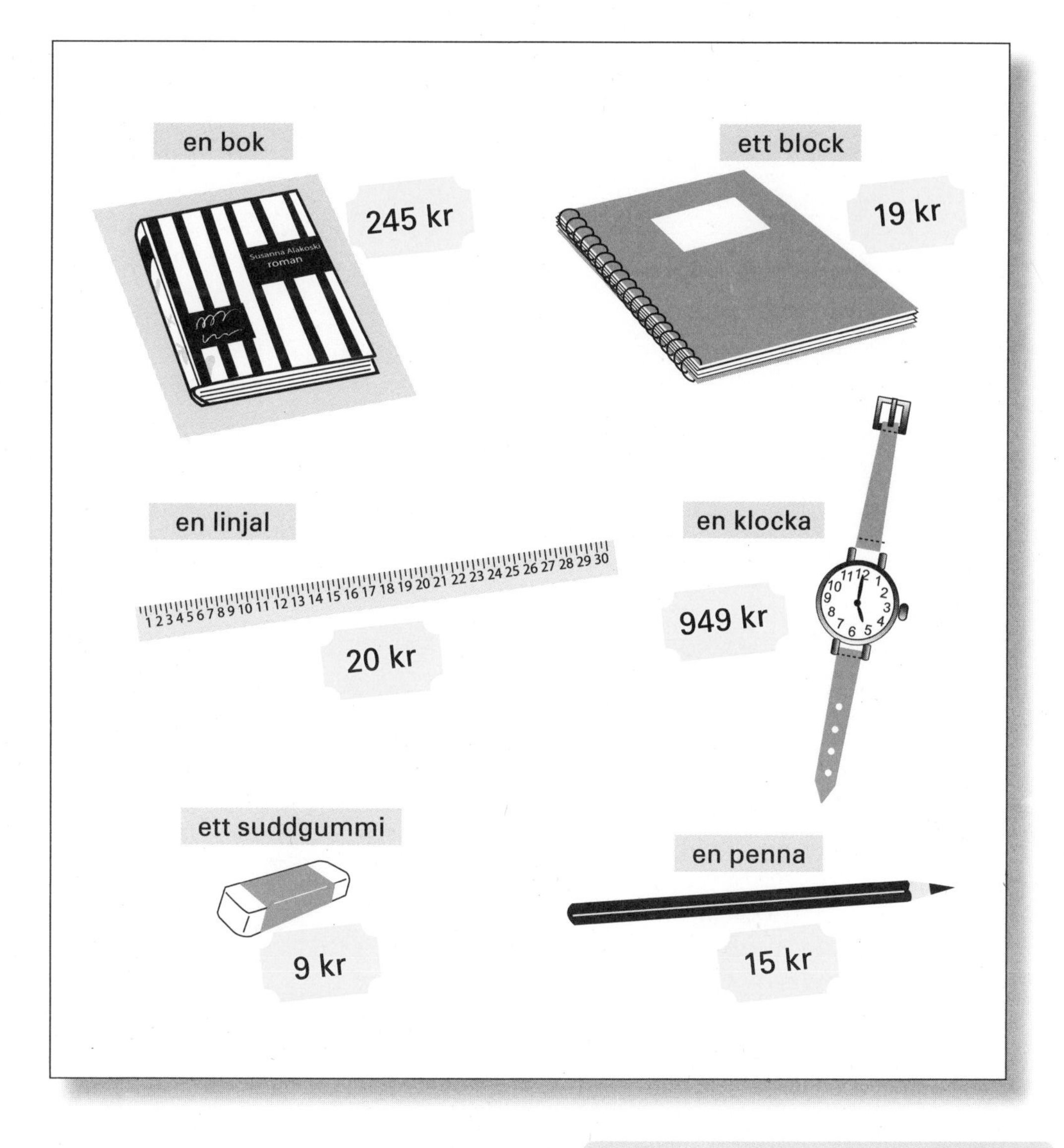

+ Öva mera i övningsboken, sidan 34.

Sverige

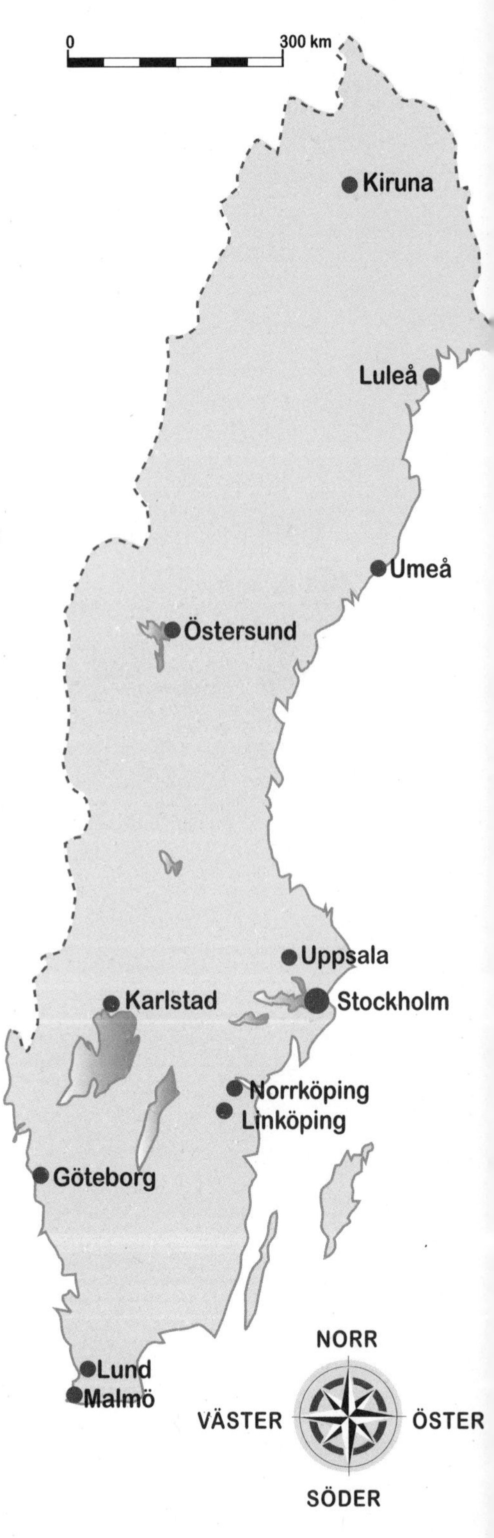

A Lyssna och läs. 

Sverige är ett avlångt land. Det är 160 mil från norr till söder och 40 mil från väster till öster.

Sverige har över 9 miljoner invånare.

Sveriges huvudstad heter Stockholm. Det är Sveriges största stad. Stockholm har cirka 800 000 invånare, med förorter cirka 1,7 miljoner. Stockholm ligger i östra Sverige.

Sveriges andra stad heter Göteborg. Göteborg ligger i västra Sverige.

Sveriges tredje stad heter Malmö. Malmö ligger i södra Sverige.

1 första
2 andra
3 tredje

NYA ORD

avlångt
mil (1 mil = 10 kilometer)
norr
söder
väster
öster
invånare (en invånare)
en huvudstad
största
en stad
cirka
förorter (en förort)
ligger (ligga)
östra
andra
västra
tredje
södra

B **Skriv svar.**

1 Hur många invånare har Sverige? Svenge har nästan 10 milione invånare

2 Vad heter Sveriges huvudstad? Svenge huvudstand hele Stockholm

3 Hur många människor bor i Stockholm

med förorter? ______

4 Vad heter Sveriges andra stad? Göteborg

5 Var ligger Malmö? Malmö ligger i Södra Svenge

C **Titta på kartan. Fyll i rätt ord.**

norra södra östra västra

1 Stockholm ligger i västra Sverige.

2 Göteborg ligger i östra, ~~Södra~~ Sverige.

3 Kiruna ligger i norra Sverige.

4 Malmö ligger i Södra Sverige.

D **Skriv svar.**

1 Var bor du? Jag bor i Oban

2 Var ligger det? Oban ligger i östra Skotland

+ Öva mera i övningsboken, sidan 35.

Kläder

2

Vad har de på sig?

Vad gör de?

Från vilka länder är fotona? Hur ser du det?

+ Öva mera i övningsboken, sidan 36.

Alla bor i samma hus

A Lyssna och läs. 

Här är några människor som bor på Granvägen 4.

Namn: Jonas Åberg
Ålder: 35 år
Sysselsättning:
målare

Namn: Ellen Åberg
Ålder: 37 år
Sysselsättning:
arbetar på bank

Namn: Emil Åberg
Ålder: 17 år
Sysselsättning:
studerande

Familjen Åberg bor på Granvägen 4.
Jonas är 35 år och han är målare.
Ellen är 37 år och hon arbetar på en bank.
Jonas och Ellen har två barn,
en pojke och en flicka.
De heter Emil och Klara.
Emil är 17 år och går på gymnasiet.
Klara är 5 år och går i förskolan.

Namn: Klara Åberg
Ålder: 5 år
Sysselsättning:
går i förskolan

NYA ORD

alla	en sysselsättning
samma	en målare
ett hus	en bank
här	en studerande
några	gymnasiet (ett gymnasium)
en människa (plural: människor)	en förskola
som	en pojke
en ålder	en flicka

1–6 år	förskola (dagis, daghem)
6 år	förskoleklass
7–16 år	grundskola
16–19 år	gymnasium
18–	universitet, högskola

Namn: Hassan Scali
Ålder: 28 år
Sysselsättning: lärare

Namn: Linda Nilsson
Ålder: 24 år
Sysselsättning: studerande

3

Hassan Scali och Linda Nilsson är sambo och de väntar sitt första barn. Hassan är 28 år. Han är lärare. Linda är 24 år. Hon studerar på universitetet.

Olle Palmgren är 48 år och kör taxi. Han har tre barn, men han är skild och bor ensam.

Namn: Olle Palmgren
Ålder: 48 år
Sysselsättning: taxichaufför

Tina Nykvist är skådespelare. Hon är singel och hon bor också ensam.

Namn: Tina Nykvist
Ålder: ?
Sysselsättning: skådespelare

B Diskutera.

Vad tror du?

1 Vad studerar Linda?

2 Hur gammal är Tina?

NYA ORD

sitt (sin, sitt, sina)
ett universitet
en taxichaufför
en taxi
skild
ensam
en skådespelare

Ett **påstående** börjar med stor bokstav och slutar med punkt:
Hon arbetar.

§ 1.3

En **fråga** börjar med stor bokstav och slutar med frågetecken:
Arbetar hon?

C Svara på frågorna. Skriv ja eller nej.

▶ Är Jonas målare? Ja, Det är hon

▶ Går Klara i skolan? Nej, Det gör hon inte

1 Går Emil i skolan? Ja, Det är hon.

2 Är Ellen 37 år? Ja, Det är hon

3 Har hon barn? Ja, Det har hon

4 Är Jonas 35 år? Ja, Det är han

5 Bor Hassan på Granvägen 2? Nej, Det gör han inte

6 Bor Hassan ensam? Nej, Det är han inte

7 Arbetar han på bank? Nej, Det gör han inte

8 Är Linda singel? Nej, Det är hon inte

9 Väntar hon barn? Ja, Det gör hon

10 Är Olle målare? Nej, Det är han inte

11 Har han barn? Ja, Det har hon

12 Är Tina gift? Nej, Det är hon inte

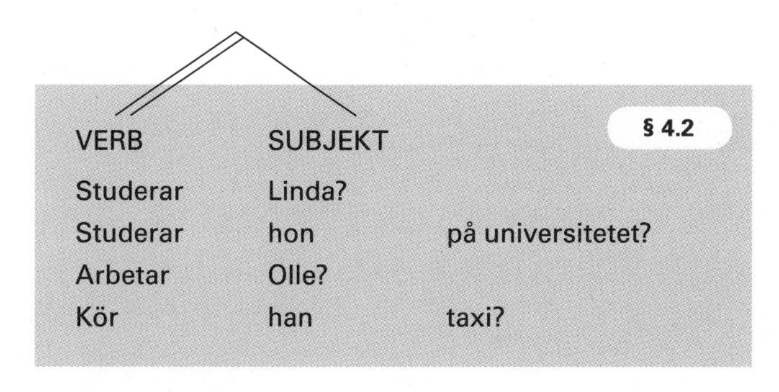

VERB	SUBJEKT		§ 4.2
Studerar	Linda?		
Studerar	hon	på universitetet?	
Arbetar	Olle?		
Kör	han	taxi?	

3

D Skriv frågor.

Linda kör ? taxi	▸ *Kör Linda taxi?*
Hassan ? studerar engelska	1 Studerar Hassan engelska?
arbetar ? Linda	2 Arbetar Linda?
bor ensam ? Linda	3 Bor Linda ensam?
? hon har barn	4 Har hon barn?
är ? sambo Tina	5 Är Tina sambo?
Klara går ? i skolan	6 Går klara i skolan?
lärare är ? Ellen	7 Är Ellen lärare?
gift Olle är ?	8 Är Olle gift?

E Öva i par. En ställer frågorna i D, en tittar i A och svarar.

+ Öva mera i övningsboken, sidan 37–39.

Betoning

37

Betoning av verb och objekt i frågesatser

Studerar Linda? Studerar Linda engelska?

Studerar hon? Studerar hon engelska?

3

Lyssna, markera, läs.

1

Läser hon?

Dricker hon?

Äter hon?

2

Läser hon engelska?

Dricker hon kaffe?

Äter hon frukost?

3

Dricker hon?

Dricker hon kaffe?

Åker hon?

Åker hon buss?

Äter hon?

Äter hon frukost?

Väntar hon?

Väntar hon barn?

4

Sover Olle?

Kör han taxi?

Läser han?

Lagar han mat?

Dricker Hassan kaffe?

Arbetar han?

Kör han bil?

Sover han?

Trivs ni?

A Lyssna och läs. 

Tina, Olle, Linda och Hassan bor i samma hus. Trivs de i huset?

Trivs du i huset?

Ja. Det är lugnt här och jag har trevliga grannar.

Trivs du i huset?

Ja, men lägenheten är för liten. Jag har en tvåa, men jag behöver en trea. Mina barn bor hos mig ibland. När de kommer blir det lite trångt.

Trivs ni i huset?

Ja, vi trivs bra här.

NYA ORD

trivs (trivas)	en granne (plural: grannar)	för	ibland
lugnt	en lägenhet	en tvåa	blir (bli)
trevliga		en trea	trångt

B Diskutera.

Trivs du i ditt hus? Varför? Varför inte?

PERSONLIGA PRONOMEN § 2.6

SINGULAR	PLURAL
jag	vi
du	ni
han, hon, den, det	de (dom)

C Fyll i det som fattas.

1 Emil är 17 år. Hon går på gymnasiet.

2 Var bor ni?

Vi bor i Stockholm.

3 Har du barn?

Ja, Jag har tre barn.

4 Var är boken?

Den är i väskan.

5 Klara har fått ett linne. Det är rosa.

6 Hassan och Linda bor på Granvägen. De är sambo.

7 Var kommer ni ifrån?

Vi kommer från Somalia.

8 Hur gammal är Ellen?

Hon är 37 år.

+ Öva mera i övningsboken, sidan 40.

Ett år i Sverige

A Lyssna och läs. 

vår

sommar

höst

vinter

I Sverige har vi fyra årstider: vår, sommar, höst och vinter.

På våren vaknar alla växter. Då blir träden gröna.

På sommaren är det mellan 15 och 30 grader varmt. Från mitten av juni till mitten av augusti har alla skolor i Sverige sommarlov.

På hösten blir träden gula och röda. Till slut faller alla löv.

På vintern är det kallt och det snöar ofta. I norra Sverige kommer den första snön i oktober. I januari och februari är det vinter i hela Sverige.

NYA ORD

en årstid (plural: årstider)	en växt (plural: växter)	mitten	snöar (snöa)
en vår	ett träd (plural: träd)	av	ofta
en sommar	mellan	ett sommarlov	norra
en höst	en grad (plural: grader)	till slut	(en) snö
en vinter		faller (falla)	hela
vaknar (vakna)		ett löv (plural: löv)	en månad (plural: månader)

MÅNADER

januari	april	juli	oktober
februari	maj	augusti	november
mars	juni	september	december

B Skriv svar.

1 Vilken månad är det nu? ____________________

2 Vilken årstid är det? ____________________

+ Öva mera i övningsboken, sidan 41.

Vi frågar

A **Lyssna och läs.** 

VI FRÅGAR: *Vilken årstid är bäst?*

Leila, 17 år, Malmö

Jag tycker hösten är bäst. Då börjar min dansträning igen efter sommarlovet. Jag älskar att dansa.

Adrian, 25 år, Umeå

Jag åker skidor, så jag tycker vintern är bäst. Jag hoppas det blir mycket snö i år.

Panida, 27 år, Sundsvall

Jag älskar våren. Då börjar allt i min trädgård växa. Jag odlar både blommor och grönsaker.

Pia, 32 år, Göteborg

Sommaren är bäst. Jag älskar att bada och sola.

NYA ORD

frågar (fråga)
vilken
bäst
tycker (tycka)
(en) dansträning
igen
efter

älska (älska)
dansa
åker (åka) skidor
så
hoppas
i år
allt

en trädgård
växa
odlar (odla)
både ... och
en blomma
(plural: blommor)

en grönsak
(plural: grönsaker)
bada
sola

B **Vem gör vad? Läs texterna i A och skriv personens namn under rätt bild.**

1 ______________________

2 ______________________

3 ______________________

4 ______________________

C **Diskutera.**

1 Vilken årstid är bäst?

2 Hur många årstider finns det i ditt hemland?

+ Öva mera i övningsboken, sidan 42.

3

När går tåget?

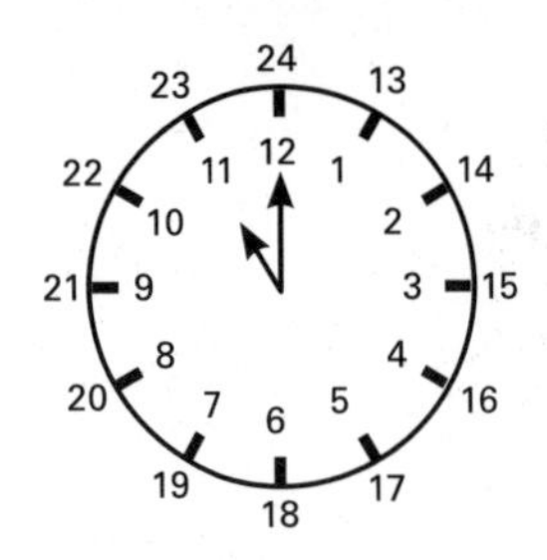

En dag + en natt = ett dygn.
Ett dygn har 24 timmar.
Hours

3

A **Lyssna och läs.** 41

11.00	elva elva noll noll
11.05	fem över elva elva noll fem
11.15	kvart över elva elva och femton
11.25	fem i halv tolv elva och tjugofem
11.30	halv tolv elva och trettio
11.35	fem över halv tolv elva och trettiofem

B **Fyll i rutorna.**

▶	13.00	ett tretton noll noll
1	13.10	tio över ett tretton och tio
2	13.15	kvart över ett tretton och femton
3	13:30	halv två tretton och trettio
4		kvart i två tretton och fyrtiofem
5		två fjorton noll noll

NYA ORD

när	en natt
går = avgår	ett dygn
ett tåg	avgående
en dag	

AVGÅENDE TÅG	
14.35	GÖTEBORG
15.05	MALMÖ
16.05	ESKILSTUNA
16.25	UPPSALA
17.45	MJÖLBY
17.55	KATRINEHOLM
18.10	GÄVLE

C När går tåget? Sätt kryss i rätt ruta.

1 När går tåget till Göteborg?

☐ fem i halv två ☐ fem över halv två ☐ fem över halv tre

2 När går tåget till Eskilstuna?

☐ fem över halv fyra ☐ fem över fyra ☐ fem över halv fyra

3 När går tåget till Malmö?

☐ fem över tre ☐ fem i tre ☐ fem över fyra

4 När går tåget till Mjölby?

☐ kvart i sex ☐ kvart över sex ☐ kvart i fem

5 När går tåget till Uppsala?

☐ kvart över fyra ☐ fem i halv fyra ☐ fem i halv fem

6 När går tåget till Gävle?

☐ tio i åtta ☐ tio över åtta ☐ tio över sex

7 När går tåget till Katrineholm?

☐ fem i fem ☐ fem över fem ☐ fem i sex

+ Öva mera i övningsboken, sidan 43.

Sara och Malin

3

A Lyssna och läs. 

SARA: När slutar du i morgon?
MALIN: Tio över två. Du då?
SARA: Jag slutar tjugo i tre.
MALIN: Då väntar jag på dig.
SARA: Vad bra. Då ses vi kvart i tre utanför skolan.
MALIN: Okej. Vi ses i morgon. Hej då.
SARA: Hej då.

NYA ORD
slutar (sluta)
i morgon
dig
vad bra
utanför
okej

B Skriv med siffror.

▶ När slutar Malin skolan? 14.10

1 När slutar Sara? 14:40

2 När ska Malin och Sara ses utanför skolan? ___________

3 Hur många minuter måste Sara vänta utanför skolan? ___________

C Diskutera.

Vad tror du?

1 Hur gamla är Sara och Malin?
2 Hur känner de varandra?
3 Vad ska de göra efter skolan i morgon?

	MÅNDAG	TISDAG	ONSDAG	TORSDAG	FREDAG
8.10 – 9.10	SVENSKA		ENGELSKA	SVENSKA	
9.30 – 10.30	ENGELSKA	SVENSKA	SVENSKA	SVENSKA	SVENSKA
10.45 – 11.45	MATEMATIK	MATEMATIK	LUNCH	BILD	ENGELSKA
11.45 – 12.45	LUNCH	LUNCH	DATA	LUNCH	LUNCH
12.45 – 13.45	DATA	IDROTT		MATEMATIK	MUSIK
13.50 – 14.40	DATA				

D Titta på Saras schema. Svara på frågorna.

1 När börjar Sara på måndagar? ___________

2 När slutar hon på tisdagar? ___________

3 När har Sara lunch på onsdagar? ___________

4 Vad har Sara för lektion på torsdagar klockan 9.30? ___________

5 Hur många lektioner i veckan har hon engelska? ___________

NYA ORD
(en) matematik
en lunch
data
(en) idrott
(en) bild

E Lyssna. Sätt kryss för rätt svar. 43

1 När slutar hon i morgon?

☐ 14.40 ☐ 15.40 ☐ 16.40

2 När slutar hon på onsdag?

☐ 15.50 ☐ 16.00 ☐ 16.10

3 När ska de ses?

☐ 15.30 ☐ 16.30 ☐ 17.30

+ Öva mera i övningsboken, sidan 44–45.

När öppnar de?

A **Lyssna och läs.** 

BIBLIOTEKET
Öppettider
Måndag – fredag 9.30 – 19.00
Lördag 10.00 – 17.00
Söndag 11.00 – 16.00

RESTAURANG
VASEN
Måndag Stängt
Tisdag – torsdag 16.00 – 22.00
Fredag 16.00 – 23.00
Lördag 14.00 – 23.00
Söndag 14.00 – 22.00

3

Bokhandeln BOKEN
Öppet
Måndag–fredag 10.00–18.00
Lördag 10.00–13.00
Söndag Stängt

NYA ORD
öppnar (öppna)
öppettider
en restaurang
stängt
en bokhandel
öppet

B **Svara på frågorna.**

▸ När öppnar biblioteket på lördagar? 10.00

1 När öppnar bokhandeln på lördagar? ____________

2 När öppnar restaurangen på onsdagar? ____________

3 När öppnar restaurangen på helgen? ____________

4 När är det stängt i bokhandeln? ____________________________________

5 Är bokhandeln öppen på torsdagar? ____________

+ Öva mera i övningsboken, sidan 46.

Uttal

45

i	y	u		o
e	ö			å
ä				
			a	

i – e

fil fel
vit vet

i – e – ä

bi be bä
riv rev räv

i – y

bita byta
sil syl

e – ö

bred bröd
fel föl

y – ö

byta böta
lyda löda

---

i	y	u		o
e	ö			å
ä				
			a	

LÅNG VOKAL		LÅNG KONSONANT
fet grep	e	fett grepp
mäta släpa	ä	mätta släppa
flyta ryka	y	flytta rycka
föl söt	ö	föll sött

Möbler

Lyssna och läs. 46

NYA ORD

en möbel (plural: möbler)

+ Öva mera i övningsboken, sidan 47.

I en lägenhet

Lyssna och läs. 

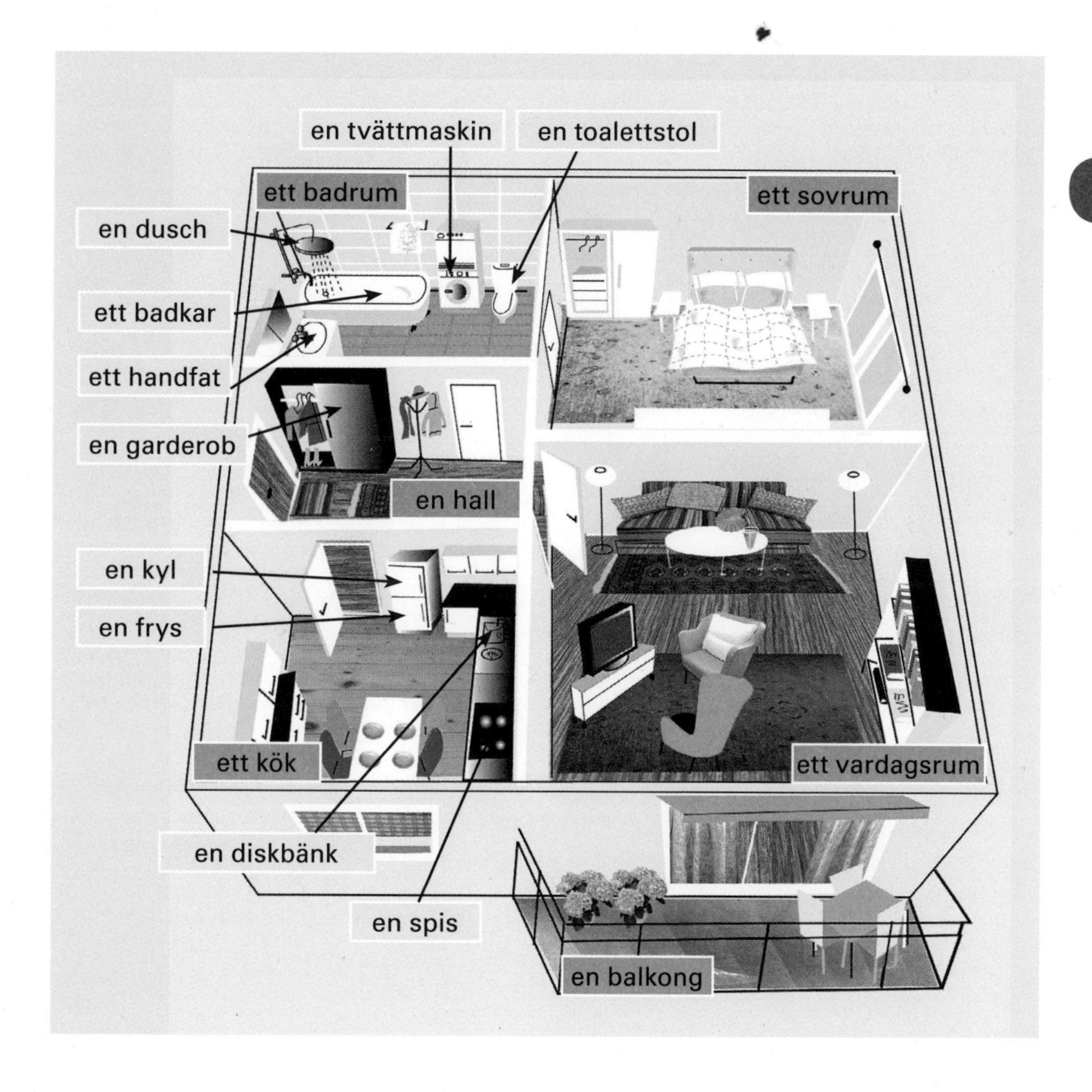

+ Öva mera i övningsboken, sidan 48.

Olle letar efter en lägenhet

A Lyssna och läs. 48

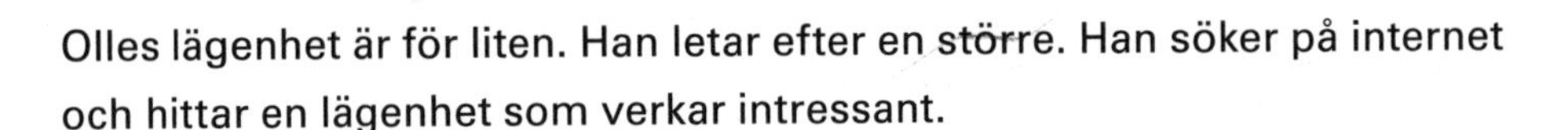

Olles lägenhet är för liten. Han letar efter en större. Han söker på internet och hittar en lägenhet som verkar intressant.

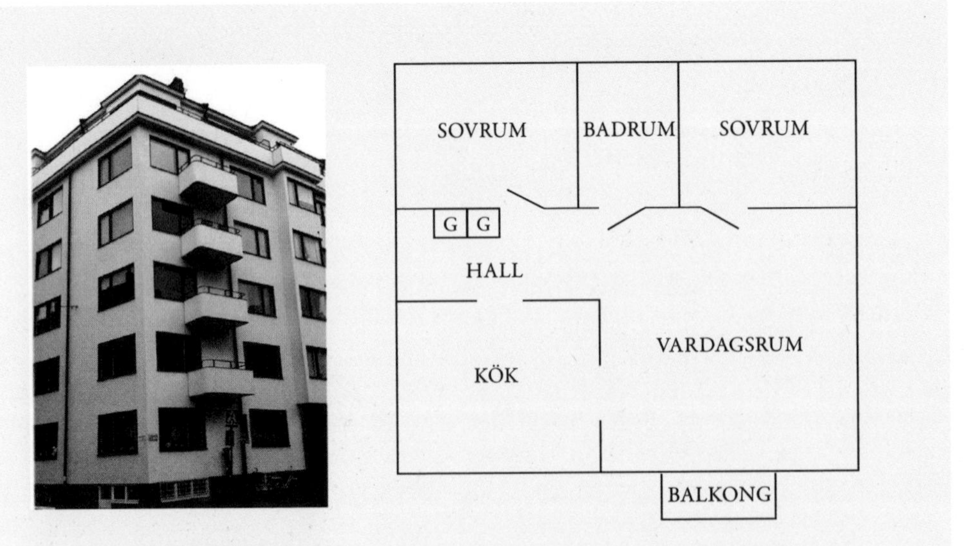

Trevlig lägenhet på tre rum och kök i lugnt och bra område. Andra våningen, hiss. Balkong åt söder.
Stor hall med två garderober. Vardagsrum med stora fönster och balkong. Kök med ny kyl, frys och spis. I köket finns plats för bord och sex stolar. Två sovrum mot gården. Badrummet är nyrenoverat och här finns också tvättmaskin.

Olle läser och funderar. Lägenheten är bra. Men ska han flytta från Granvägen 4?

NYA ORD

letar efter (leta efter)
söker (söka)
internet
hittar (hitta)
verkar (verka)
intressant
ett rum (plural: rum)
en våning
en hiss
åt
plats för
mot
en gård
nyrenoverat
funderar (fundera)
flytta

	GENITIV
Olle har en lägenhet. Den är liten.	**Olles** lägenhet är liten.
Olle har tre barn. De heter Amanda, Olivia och Oskar.	**Olles** barn heter Amanda, Olivia och Oskar.

§ 10.10

B Rätt eller fel? Läs texten på sidan 74. Sätt kryss.

		Rätt	Fel
▶	Olles lägenhet är för liten.	☒	☐
1	Olle letar efter en större lägenhet.	☐	☐
2	Han hittar en lägenhet på internet.	☐	☐
3	Lägenheten är på fyra rum och kök.	☐	☐
4	Det finns två sovrum.	☐	☐
5	Lägenheten ligger på första våningen.	☐	☐
6	Hallen är liten.	☐	☐
7	Det finns två garderober i hallen.	☐	☐
8	Balkongen ligger åt söder.	☐	☐
9	Det finns tvättmaskin i badrummet.	☐	☐
10	Badrummet är gammalt.	☐	☐

Det finns
There is / are.

Jo - against negative.

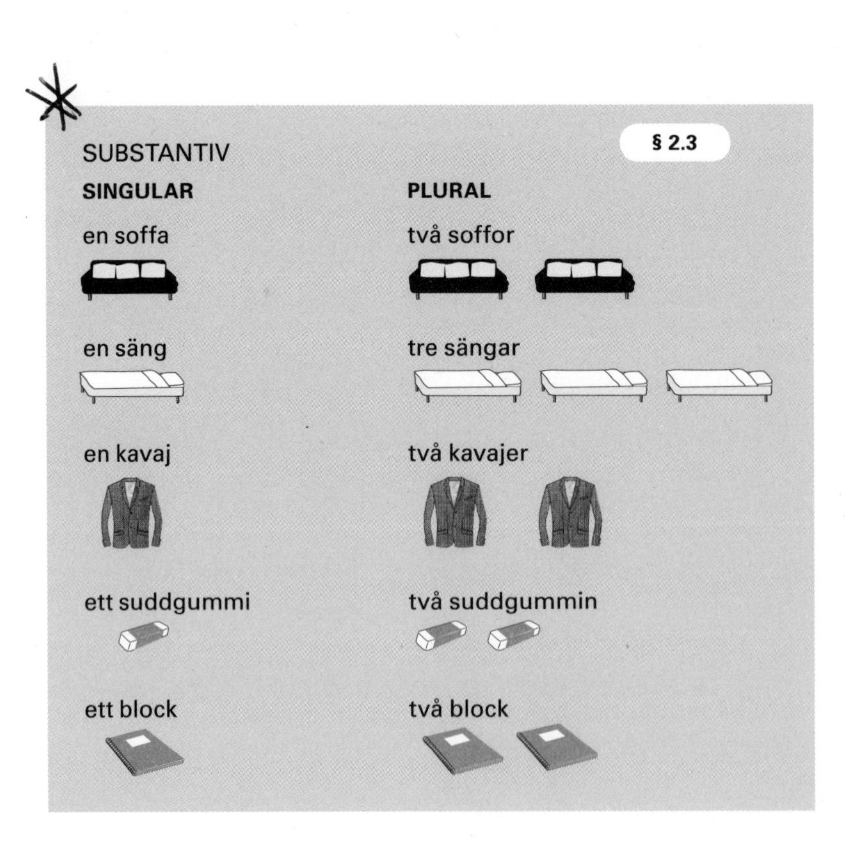

SUBSTANTIV
§ 2.3
SINGULAR
PLURAL
en soffa
två soffor
en säng
tre sängar
en kavaj
två kavajer
ett suddgummi
två suddgummin
ett block
två block

3

C Skriv orden i singular.

SINGULAR	PLURAL
▸ en bil	(två) bilar
1 ett skåp	(två) skåp
2 en garderob	(två) garderober
3 en tröja	(två) tröjor
4 ett linne	(två) linnen
5 ett namn	(två) namn
6 en dag	(två) dagar

+ Öva mera i övningsboken, sidan 49.

Bo i Sverige

A Lyssna och läs. 

I Sverige bor de flesta, omkring 54 procent, i lägenhet.
Omkring 41 procent bor i hus.

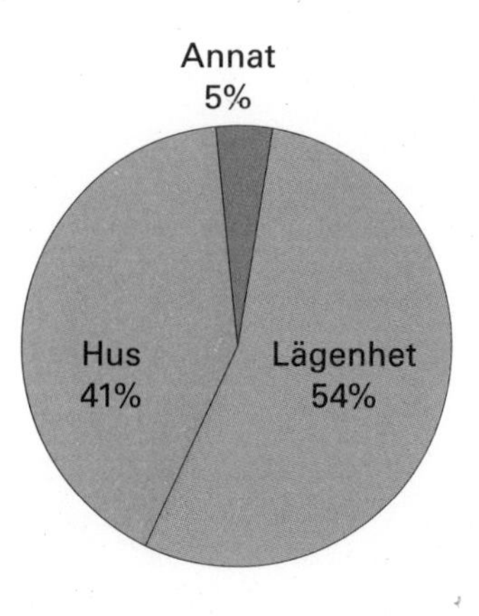

Källa: SCB,
Hushållens ekonomi (2009)

NYA ORD
de flesta
omkring
procent

B Diskutera.

1 Hur bor du?

2 Hur bor människor i ditt hemland?

3 5 procent av alla i Sverige bor inte i lägenhet och inte i hus.
Var bor de, tror du?

+ Öva mera i övningsboken, sidan 50.

Hemma

Vilka är det som bor här? Fantisera!

I vilket land tror du familjen bor? Varför tror du det?

Hur ser en bostad ut i ditt hemland?

Vad är lika? Vad är olika?

+ Öva mera i övningsboken, sidan 51.

Vad gör de i dag?

A **Lyssna och läs.** 

Tina Nykvist, skådespelare

Tina vaknar klockan halv sju på morgonen. Klockan halv åtta tar hon bussen till jobbet. Just nu är hon med i en reklamfilm. Klockan tolv äter hon lunch. Hon slutar klockan fem. Då åker hon till ett gym och tränar. Sedan åker hon hem och äter middag.

Linda Nilsson, studerande

Linda vaknar klockan sju. Hon är ensam hemma. Hassan, hennes sambo, är i Stockholm. Linda dricker te och tittar på nyheterna på teve. På förmiddagen studerar hon hemma. På eftermiddagen studerar hon på universitetet. Hon börjar där klockan två. Linda äter middag ensam hemma på kvällen.

NYA ORD

en morgon
tar (ta)
ett jobb
är med (vara med)
en reklamfilm

ett gym
sedan
hem
hennes
(ett) te

en nyhet
(plural: nyheter)
en förmiddag
studerar (studera)
en eftermiddag

Hassan Scali, lärare

Hassan är inte hemma. Han är i Stockholm på kurs. Han bor på hotell. Kursen börjar klockan nio. Hassan äter frukost på hotellet klockan halv åtta. Klockan kvart över två är det fikarast. Då ringer han till Linda. Hon svarar inte, så han skickar ett sms. Kursen slutar klockan fem. Då tar Hassan tåget hem.

Olle Palmgren, taxichaufför

Olle jobbar hela natten. Han kommer hem kvart över sex på morgonen. Då äter han några smörgåsar och dricker ett glas mjölk. Sedan sover han hela förmiddagen. Klockan fyra går han till frisören. Han är ledig på kvällen. Då går han ut och äter middag på restaurang med några vänner.

NYA ORD

ett hotell
en fikarast
svarar (svara)
skickar (skicka)
ett sms

en smörgås
(plural: smörgåsar)
ett glas
(en) mjölk
en frisör

ledig
går ut (gå ut)
ut
en vän
(plural: vänner)

+ Öva mera i övningsboken, sidan 52.

B Rätt eller fel? Sätt kryss.

		Rätt	Fel
1	Tina vaknar klockan sju på morgonen.	☐	☑
2	Linda är på universitetet på eftermiddagen.	☑	☐
3	Hassan äter frukost på hotellet.	☑	☐
4	Linda svarar i telefon kvart över två.	☐	☑
5	Olle arbetar på natten.	☑	☐
6	Olle går till frisören på eftermiddagen.	☑	☐
7	Linda äter middag på restaurang på kvällen.	☐	☑
8	Hassans kurs börjar klockan fem.	☐	☑
9	Hassan ringer till Linda på förmiddagen.	☐	☑
10	Olle sover på natten.	☐	☑

Förmiddag = före klockan tolv (mitt på dagen)
Eftermiddag = efter klockan tolv

Middag var förr namnet på måltiden mitt på dagen.
Nu äter vi middag på kvällen. Mitt på dagen äter vi lunch.

NYA ORD
före
mitt på
förr
en måltid

C Svara på frågorna.

1 När vaknar du? ______________________________

2 Vad gör du på förmiddagen? ______________________________

3 När äter du lunch? ______________________________

4 Vad gör du på eftermiddagen? ______________________________

5 Vad gör du på kvällen? ______________________________

6 Vad gör du på natten? ______________________________

+ Öva mera i övningsboken, sidan 53.

FRÅGEORD	VERB	SUBJEKT		SVAR
När	äter	Hassan	frukost?	Halv åtta.
Vad	gör	Tina	på kvällen?	Hon tränar.
Var	bor	Linda?		På Granvägen 4.

§ 4.3
§ 4.4

D Öva i par. Läs texten på sidan 80 och titta på bilderna. Fråga och svara.

4

1 Vad gör Tina klockan tre? Tina
2 Vad gör Linda på eftermiddagen?
3 När dricker Linda te?
4 När äter Linda middag?
5 Var tränar Tina?
6 När äter Tina frukost?

FRÅGEORD	VERB	SUBJEKT		SVAR
Vart	går	Olle	klockan fyra?	Till frisören.
Hur	kommer	Hassan	från Stockholm?	Han åker tåg.
Varför	är	Hassan	i Stockholm?	Han är på kurs där.

§ 4.3
§ 4.4

E Öva i par. Läs texten på sidan 81 och titta på bilderna. Fråga och svara. 

1. Vart går Olle på eftermiddagen?
2. Varför äter Hassan inte frukost hemma?
3. Hur kommer Hassan hem från kursen?
4. Varför svarar Linda inte i telefon klockan kvart över två?
5. Varför sover Olle på förmiddagen?
6. Vart går Olle och hans vänner på kvällen?

F **Skriv frågor.**

Linda när ? vaknar	▶	När vaknar Linda?
middag var ? äter Linda	1	Var äter Linda middag?
var studerar ? Linda	2	Var studerar Linda?
? äter middag hon när	3	När äter hon middag?
klockan kvart över två Hassan vad ? gör	4	Vad gör Hassan klockan kvart över två
börjar ? när Linda	5	När börjar Linda?
Hassan var är ?	6	Var är Hassan?
Tina på morgonen gör vad ?	7	Vad gör Tina på morgonen
går när Olle till frisören ?	8	När går olle till frisören?
åker på kvällen vart Hassan ?	9	Vart
äter Linda middag ensam varför ?	10	

G **Öva i par. En ställer frågorna i F, en tittar i texten på sidan 80–81 och svarar.**

Öva mera i övningsboken, sidan 54–55.

4

Betoning

51

Betoning av verb och objekt i frågesatser som inleds med frågeord

När kommer de? När kommer de hem?

Lyssna, markera, läs.

4

1 Var bor du?
Vad heter han?
Var arbetar hon?
Vad gör ni?
Hur är det?
Vad dricker de?
När slutar han?
Vad läser du?
Vart åker hon?

2 Var äter du middag?
När åker du buss?
Var spelar de fotboll?
Var äter du lunch?
När dricker hon te?
När talar ni engelska?
Var dricker de kaffe?
När åker hon hem?

3 När slutar du?
Var köper ni mat?
När tittar hon på teve?
Vad skriver du?
När går du?
Var läser han franska?
Var sover de?
Vad äter han?
När talar du svenska?
Vad köper de?
När är han ledig?
När ringer du?
Vad gör han?
När kommer du?
När äter ni lunch?

Dricker du mycket kaffe?

A Lyssna och läs. 

I Sverige dricker vi mycket kaffe. År 2010 drack vi i genomsnitt 159 liter kaffe per person. Det betyder att varje person dricker 3,5 koppar kaffe varje dag.

Källa: Svensk Kaffeinformation 2010

NYA ORD

drack (dricka)
i genomsnitt
en liter (plural: liter)
per person
en person
betyder (betyda)
att
varje
en kopp (plural: koppar)

B Diskutera.

1 Hur många koppar kaffe dricker du om dagen?
2 När dricker du kaffe?

C Skriv mycket eller många.

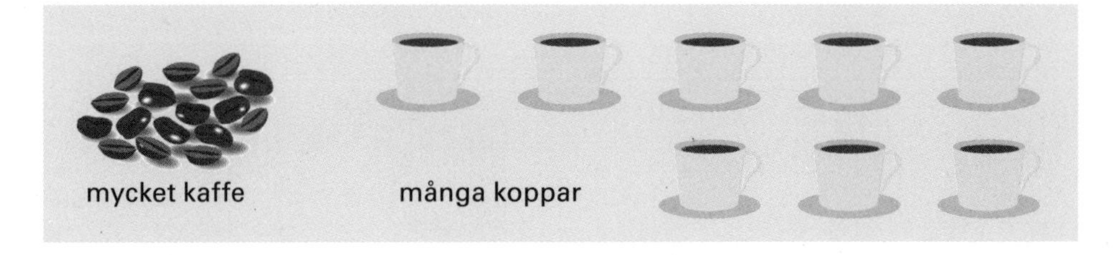

▶ Klara dricker ___mycket___ mjölk.

1 Lisa talar ______________ språk.

2 Hur ______________ språk talar hon?

3 Jonas arbetar ______________.

4 Hassan och Linda har ______________ vänner.

5 Hur ______________ kostar en kopp kaffe?

6 Hur ______________ månader har ett år?

+ Öva mera i övningsboken, sidan 56.

Vi frågar

A Lyssna och läs. 53

What do you eat for breakfast

VI FRÅGAR: *Vad äter du till frukost?*

Anita, 53 år

En stor kopp te och två mackor. Och ett glas apelsinjuice.

Mehdi, 18 år

Jag äter fil och flingor. Ibland äter jag en macka också.

Tobias, 25 år

Jag hinner inte äta frukost. Jag börjar jobba klockan sju och jag tycker om att sova länge. Jag köper en macka och en kopp kaffe på väg till jobbet.

Malin, 32 år

Jag är inte hungrig på morgonen. Jag gör några smörgåsar och tar med dem till jobbet. Vi har fikarast klockan tio. Då äter jag mina smörgåsar och dricker en kopp kaffe.

4

NYA ORD

till frukost
en macka
(plural: mackor)
(en) apelsinjuice

hungrig
dem
hinner (hinna)

tycker om
(tycka om)
att
länge

på väg till
en väg
(en) fil
flingor

FRÅGEORD/SUBJEKT	VERB		SVAR
Vem	dricker	te?	Anita.
Vilka	äter	inte frukost hemma?	Malin och Tobias.

B **Skriv svar.**

1 Vem dricker te? ~~Anja Janna~~ Anita

2 Vilka äter frukost hemma? ______

3 Vem köper smörgåsar? ~~Malin~~ Tobias

4 Vem gör smörgåsar och tar med till jobbet? Malin

5 Vilka äter alltid smörgåsar? ~~Malin~~ Malin e Tobias

6 Vilka dricker kaffe? Malin

C **Öva i par. Fråga och svara.**

1 När äter du frukost?

2 Var äter du frukost?

3 Vad äter du till frukost?

for

+ Öva mera i övningsboken, sidan 57.

Var ligger apoteket?

A Lyssna och läs. 

1

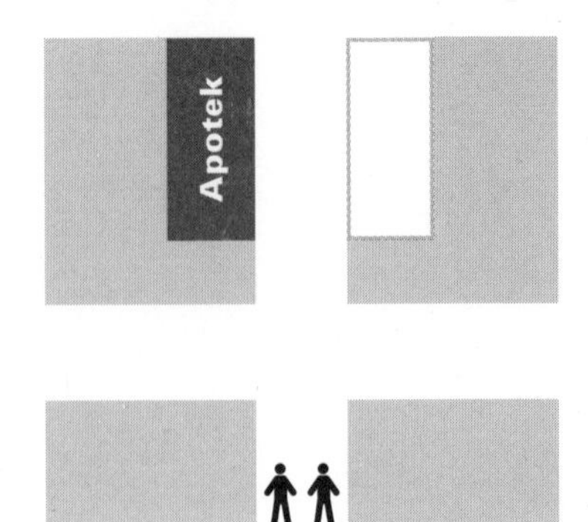

AGNETA: Ursäkta, får jag fråga en sak? Var ligger apoteket?

PEDRO: Gå den här gatan rakt fram. Apoteket ligger på vänster sida.

AGNETA: Tack så mycket.

PEDRO: Det var så lite så.

2

TOMMY Ursäkta, kan du hjälpa mig?

MARITA: Javisst.

TOMMY: Var ligger vårdcentralen?

MARITA: Gå den här gatan rakt fram. Vårdcentralen ligger på höger sida. Det är inte långt bort.

TOMMY: Tack för hjälpen.

3

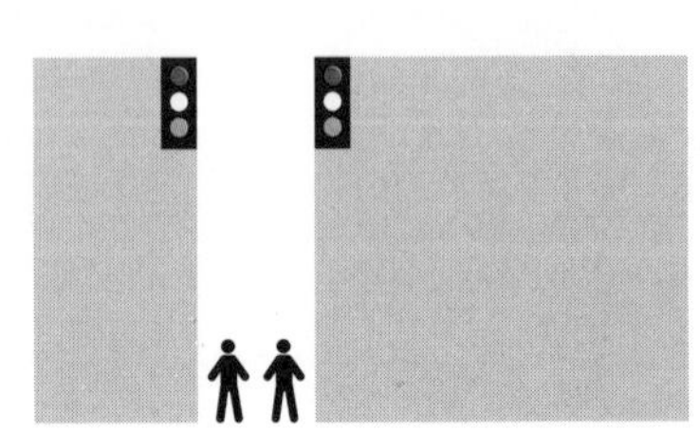

CHARLIE: Ursäkta, vet du var simhallen ligger?

NOOMI: Ja, på Kungsgatan. Ta till höger där framme vid trafikljusen. Det är Kungsgatan. Då ser du simhallen.

CHARLIE: Tack. Jag är ny här, så jag hittar inte så bra.

NOOMI: Jag förstår. Hoppas du hittar nu.

4

ALI: Ursäkta, var ligger sporthallen?

JANE: Ta nästa gata till vänster.
Sporthallen ligger i slutet av gatan.

ALI: Tack så mycket.

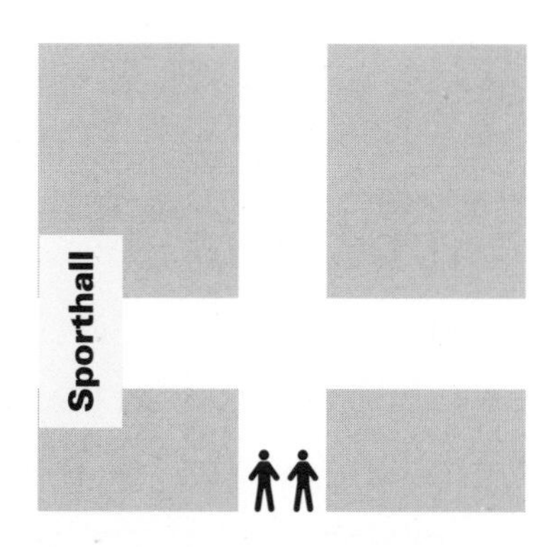

4

NYA ORD

ett apotek	rakt fram	en vårdcentral	en simhall	förstår (förstå)
ursäkta	vänster	höger	ta till höger	en sporthall
får (få)	en sida	långt bort	framme	nästa
en sak	tack så mycket	för	vid	i slutet av
den här	var (vara)	(en) hjälp	ett trafikljus	ett slut
en gata	så lite så	vet (veta)	ser (se)	

B **Lyssna och titta på kartan. Skriv rätt siffra efter platserna. En siffra blir över.**

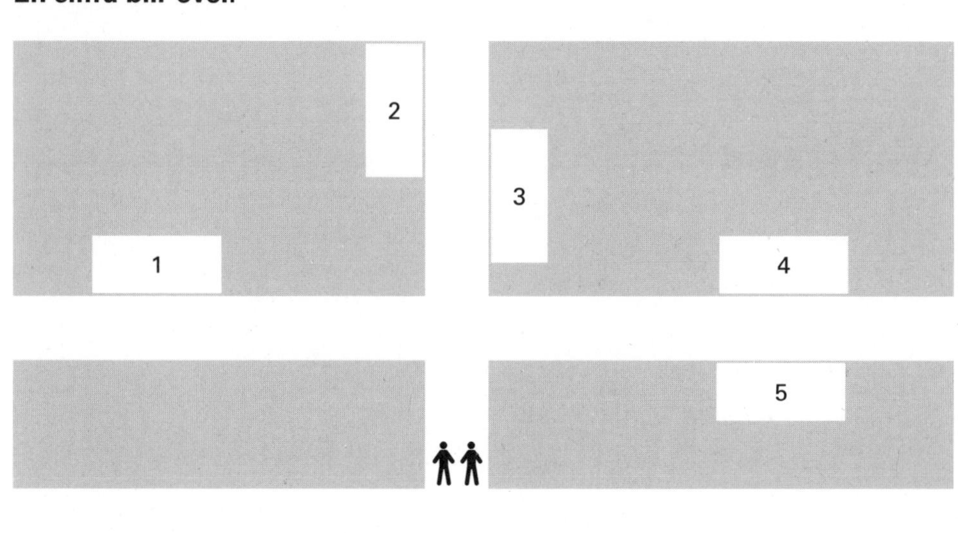

Stora torget ______ Restaurangen Bistro ______

Resecentrum ______ Vasaskolan ______

+ Öva mera i övningsboken, sidan 58–59.

Skyltar på stan

A Lyssna och läs. 56

1

PANIDA: Entré. Vad betyder det?
Jag förstår inte.

HELEN: Det betyder ingång.
Man går in här.

PANIDA: Okej. Jag förstår.

4

2

DIDIER: Hur uttalas det här?

MALENA: Försäkringskassan.

DIDIER: Kan du säga det en gång till?
Långsamt.

MALENA: Försäkringskassan.

DIDIER: Försäkringskassan. Tack.

Stängt p.g.a.
ombyggnad.
Öppnar igen
den 25/10.

3

HARIS: Vad står det här?

TOM: Stängt på grund av ombyggnad.

HARIS: Vad menar de?

TOM: De bygger om affären,
så den har stängt till den 25 oktober.

HARIS: Okej.

NYA ORD

en skylt
stan = staden
en entré
en ingång
man
in
uttalas (uttala)
(en) försäkrings-kassa
en gång till
en gång
långsamt
på grund av
(en) ombyggnad
menar (mena)
bygger om (bygga om)

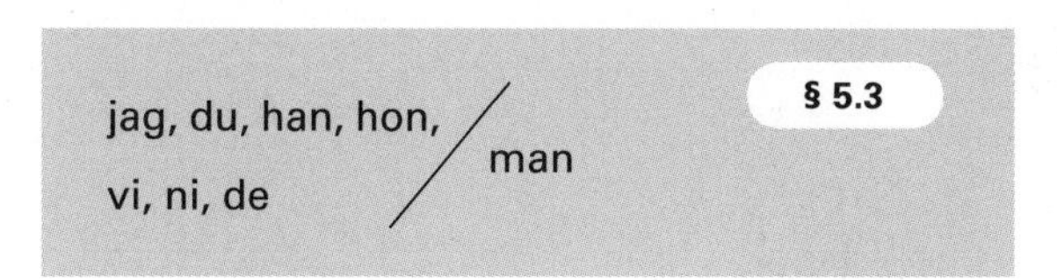

jag, du, han, hon,
vi, ni, de
man
§ 5.3

B Lyssna. Vad talar de om?
Skriv dialogens nummer vid rätt skylt. En skylt blir över.  

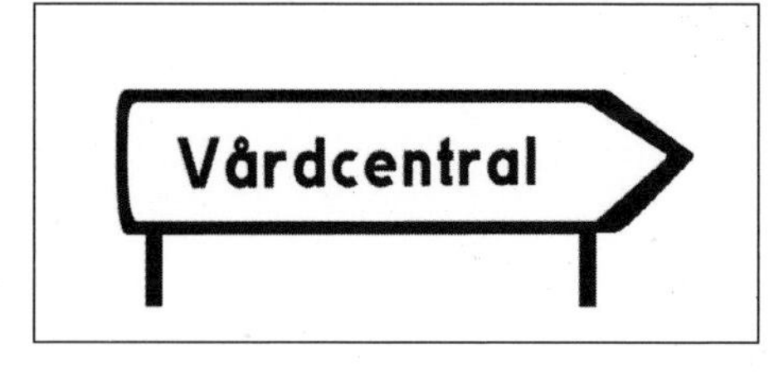

☐

BVC

☐

☐

☐

+ Öva mera i övningsboken, sidan 60.

Vilken våning bor hon på?

A Lyssna och läs. 

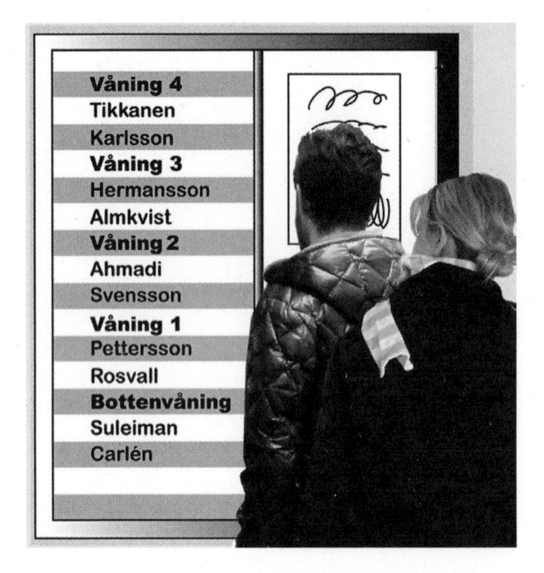

Våning 4
Tikkanen
Karlsson
Våning 3
Hermansson
Almkvist
Våning 2
Ahmadi
Svensson
Våning 1
Pettersson
Rosvall
Bottenvåning
Suleiman
Carlén

Linn, Pontus och Ida ska göra ett grupparbete tillsammans. De ska träffas hemma hos Ida. Det är första gången Linn och Pontus kommer hem till Ida.

NYA ORD
ett grupparbete
tillsammans
träffas
fjärde
va (= vad)

LINN: Vilken våning bor hon på?

PONTUS: Vi ska se. Karlsson. Här. På fjärde våningen.

LINN: Vi tar hissen, va?

PONTUS: Okej.

B Titta på bilden och svara på frågorna.

1 Hur många våningar har huset? _____

2 Hur många lägenheter finns det på andra våningen? _____

3 På vilken våning bor familjen Svensson? ____________________

4 Vilka bor på tredje våningen? ____________________

____

+ Öva mera i övningsboken, sidan 61.

Vad är det för datum i dag?

A **Lyssna och läs.** 59

when

NIHAL: När börjar kursen?

FADUMO: Den 22 augusti.

NIHAL: Vad är det för datum i dag?

FADUMO: Den 15.

NIHAL: Oj! Då börjar kursen nästa vecka!

Augusti
22
Måndag

NYA ORD
datum
oj

1	första	12	tolfte	23	tjugotredje
2	andra	13	trettonde	24	tjugofjärde
3	tredje	14	fjortonde	25	tjugofemte
4	fjärde	15	femtonde	26	tjugosjätte
5	femte	16	sextonde	27	tjugosjunde
6	sjätte	17	sjuttonde	28	tjugoåttonde
7	sjunde	18	artonde	29	tjugonionde
8	åttonde	19	nittonde	30	trettionde
9	nionde	20	tjugonde	31	trettioförsta
10	tionde	21	tjugoförsta		
11	elfte	22	tjugoandra		

ÅRETS MÅNADER

januari	april	juli	oktober
februari	maj	augusti	november
mars	juni	september	december

Januari är den första månaden.
Februari är den andra månaden.

4

B **Fyll i.**

▶ Augusti är den åttonde månaden.

1 Januari är den första månaden.

2 December är den tolfte månaden.

3 Mars är den tredje månaden.

4 Juni är den sjätte månaden.

5 November är den elfte månaden.

4

– När börjar kursen?
– 22 /8
(Läs: den tjugoandra i åttonde)

C **Skriv datum.**

▶ den första i femte 1/5 = den 1 maj

1 en åttonde i tredje 8/3 = den 8 mars

2 den tionde i andra 10/2 den 10 februari

3 den tredje i nionde 3/9 den 3 september

4 den artonde i första 18/1 den 18 januari

5 den trettionde i åttonde 30/8 den 30 augusti

D **Vad är det för datum i dag? Skriv svar som i C.**

31 oktober

+ Öva mera i övningsboken, sidan 62.

När är du född?

KÖRKORT SVERIGE
1 SVENSSON
2 MIKAEL
3 1981-03-15
4a 2011-11-02
4b 2021-11-02
5 810315-3534
7 Mikael Svensson
9 B
TRANSPORT STYRELSEN

A Lyssna och läs. 

Mitt personnummer är 810315-3534.

Jag är född den femtonde i tredje åttioett.

Jag är född den femtonde mars nittonhundraåttioett.

1453	fjortonhundrafemtiotre
1918	nittonhundraarton
2012	tjugohundratolv (tvåtusentolv)

– När är du född?	– Den tredje i tredje nittonhundraåttionio.
(3/3 1989)	– Den tredje i tredje åttionio.
	– Den tredje mars nittonhundraåttionio.
	– Den tredje mars åttionio.

B Öva i par. Fråga och svara. Svara på två sätt. 

1	(2/1 1963)	**4**	(18/11 1988)
2	(24/3 1978)	**5**	(22/8 1991)
3	(20/12 1970)	**6**	(30/7 1993)

Grattis på födelsedagen!

Tack!

C Skriv svar.

När är du född? ______________________

NYA ORD
född
grattis
en födelsedag

+ Öva mera i övningsboken, sidan 63.

Jag saknar dig

A Lyssna och läs. 

Meddelanden
Hanna
Ändra
Varför kommer du inte? Jag väntar på dig. Emil
Skicka

Meddelanden
Petter
Ändra
Har du Tinas nummer? Jag behöver prata med henne. Kalle
Skicka

Karin!
Vill du äta lunch med mig i dag?
Ring mig på mobilen.
Kram Linda

Patrik!
Lycka till i dag!
Jag tänker på dig!
Mamma

NYA ORD

saknar (sakna)	prata	vill	tänker (tänka)
varför	henne	en kram	
ett nummer	en puss	lycka till	

B Öva i par. Fråga och svara.

1 När vill Linda träffa Karin?

2 Vad gör Emil?

3 Vem behöver Kalle tala med?

4 Vem skriver till Linda, tror du?

5 Vad ska Patrik göra i dag, tror du?

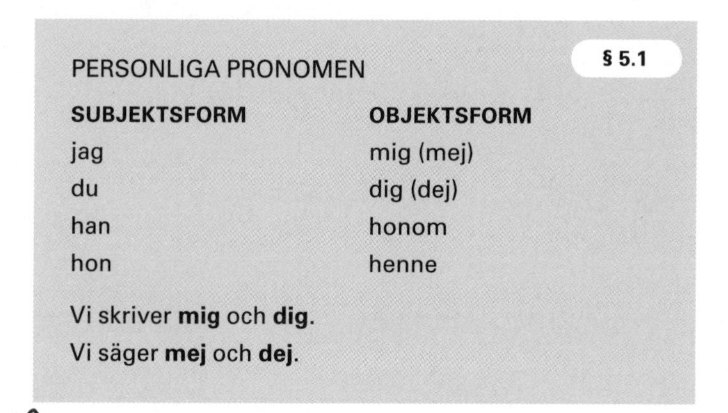
PERSONLIGA PRONOMEN § 5.1

SUBJEKTSFORM	OBJEKTSFORM
jag	mig (mej)
du	dig (dej)
han	honom
hon	henne

Vi skriver **mig** och **dig**.
Vi säger **mej** och **dej**.

C Skriv mig, dig, honom, henne.

1 Jag är hemma i kväll. Ringer du till mig då?

2 Emil väntar på Hanna. Han skickar (send) ett sms till henne.

3 Jag talar med dig. Varför lyssnar du inte på ~~honom~~ mig?

4 Jag kommer i morgon (tomorrow). Väntar du på mig?

5 Är du hemma i kväll? Jag ringer till dig klockan sju.

6 Kan du komma hit? Jag saknar dig.

7 Hon skriver till Patrik. Hon tänker på honom.

i morgon - Tomorrow
på morgonen - In the morning

SUBJEKT	VERB	INTE	OBJEKT
Hon	saknar		honom.
Han	saknar	inte	henne.
Hon	tänker		på honom.
Han	tänker	inte	på henne.

§ 5.4

4

D Skriv meningar. Börja med subjektet.

lyssnar inte på honom de	▶ De lyssnar inte på honom.
på dig hon tittar	1 Hon tittar på dig ✓
jag på dig tänker	2 Jag tänker på dig ✓
honom vi frågar	3 Vi frågar honom ✓ (ask)
svarar jag dig	4 Jag svarar dig ✓
henne han med talar	5 Han talar med henne ✓
är henne med gift han	6 Han är gift med henne ✓
inte honom frågar jag	7 Jag frågar inte honom ✓
mig han till ringer inte	8 Han ringer inte till mig ✓

+ Öva mera i övningsboken, sidan 64.

Uttal

62

i	y	u		o
e	ö			å
ä				
			a	

y – u		u – o		o – å	
dyka	duka	mur	mor	mor	mår
lyra	lura	mus	mos	stol	stål

å – a	
låta	lata
våra	vara

4

I	y	u		o
e	ö			å
ä				
			a	

LÅNG VOKAL		LÅNG KONSONANT
ful duga	u	full dugga
våt hål	å	vått håll

Måltider

Vilka måltider äter de?

Vad äter de?

I vilket land är det?

Skulle det kunna vara i ditt hemland?
Varför? Varför inte?

+ Öva mera i övningsboken, sidan 64.

5

En intervju

A Lyssna och läs. 

Tina Nykvist är skådespelare. En journalist från en tidning kommer och intervjuar henne. Sedan skriver han en artikel i tidningen.

En dag i Tinas liv

Tina Nykvist jobbar just nu med reklamfilmer. Jag träffar Tina och frågar henne: "Hur ser en dag ut för dig?" Tina berättar:

Jag vaknar klockan halv sju på morgonen. Först duschar jag och klär på mig. Sedan äter jag frukost och gör mig i ordning för att åka till jobbet. Jag börjar klockan åtta.

På förmiddagen står jag framför kameran nästan hela tiden. Ibland filmar vi samma sak om och om igen.

Jag går ofta ut på stan och äter lunch på någon restaurang. Det är skönt att komma bort från jobbet ett tag. På eftermiddagen är det inspelning igen.

Jag slutar klockan fem. Då är jag så trött att jag åker hem och tar det lugnt hemma. Jag äter middag, läser tidningen och tittar på teve. Två kvällar i veckan går jag till gymmet och tränar. Varje kväll skriver jag lite i min blogg. Sedan sover jag.

Text: Mikael Sandberg

Namn: Tina Nykvist
Ålder: 48 år
Familj: Singel. En son, Ola, 29 år
Yrke: Skådespelare
På fritiden: Träffa vänner, läsa, träna

NYA ORD

en intervju
en journalist
en tidning
intervjuar (intervjua)
en artikel
en familj
ett yrke
(en) fritid

träffa
ett liv
ser ut (se ut)
först
duschar (duscha)
klär på mig (klä på sig)
gör mig i ordning (göra sig i ordning)

framför
en kamera
nästan
hela tiden
en tid
filmar (filma)
om och om igen
någon
skönt

bort
ett tag
en inspelning
så ... att
tar det lugnt (ta det lugnt)
två kvällar i veckan
en blogg

B Bilderna visar Tinas dag.

1 Vad gör hon först? Vad gör hon sedan? Skriv 1–5 vid bilderna.

2 Arbeta i par. Berätta om Tinas dag för varandra.

C Diskutera.

1 Tina gör sig i ordning för att åka till jobbet. Vad betyder det? Vad gör hon då?

2 Varför äter Tina lunch på stan och inte på jobbet?

3 Tror du att Tina trivs med sitt jobb? Varför? Varför inte?

4 Vad tror du Tina skriver i sin blogg?

5 Vem är Mikael Sandberg?

+ Öva mera i övningsboken, sidan 66–67.

SUBJEKT	VERB	OBJEKT	PLATS	TID
Tina	vaknar			klockan halv sju.
Hon	äter	lunch	på en restaurang.	

§ 4.5

D Skriv meningar. Börja med orden som har fet stil (subjektet). Glöm inte stor bokstav och punkt!

Tina klockan halv sju vaknar	1 klockan halv sju vaknar Tina
duschar **hon** före frukost	2 Hon duschar före frukost
äter frukost **hon** klockan sju	3 Hon äter frukost klockan sju

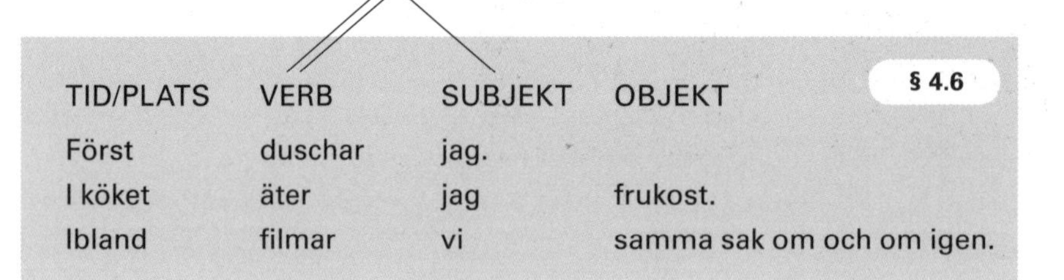

TID/PLATS	VERB	SUBJEKT	OBJEKT
Först	duschar	jag.	
I köket	äter	jag	frukost.
Ibland	filmar	vi	samma sak om och om igen.

§ 4.6

E Skriv meningar. Börja med orden som har fet stil (tid). Glöm inte stor bokstav och punkt!

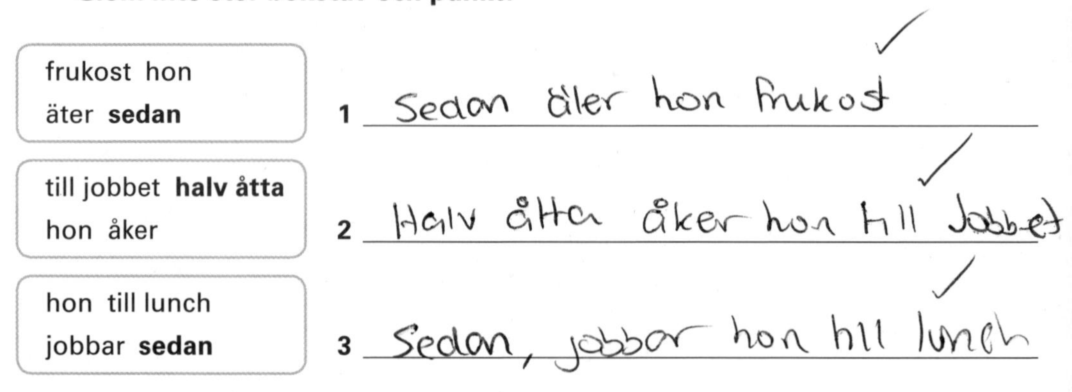

frukost hon äter **sedan**	1 Sedan äter hon frukost
till jobbet **halv åtta** hon åker	2 Halv åtta åker hon till Jobbet
hon till lunch jobbar **sedan**	3 Sedan, jobbar hon till lunch

5

klockan tolv hon lunch äter	4 klockan tolv äter hon lunch
hon jobbar **sedan** till klockan fem	5 Sedan Jobbar hon till klockan fem

F Skriv meningar. Börja med plats eller tid.

Tina klockan halv sju vaknar	1 Klockan halv sju vaknar Tina
först hon duschar	2 Först duschar hon
hon sedan äter frukost	3 Sedan äter hon frukost
klockan åtta hon börjar	4 klockan åtta börjar hon
på förmiddagen de filmar	5 På förmiddagen, filmar de
hon klockan tolv äter lunch	6 klockan tolv äter hon lunch
ligger på Storgatan en bra restaurang	7 På ~~ligger~~ Storgatan ligger en bra restrang
klockan fem hon slutar	8 klockan fem slutar hon
på tisdagar tränar hon	9 På tisdagar tränar hon

5

+ Öva mera i övningsboken, sidan 67–71.

Tinas blogg

A Lyssna och läs. 

Tina skriver i sin blogg på kvällen.

Tinas blogg

Jag bloggar om livet,
jobbet och fritiden.
Välkommen till min blogg!

En helt vanlig dag. Nästan.

2012-12-04 22.10

Jag vaknade klockan halv sju och åt frukost som vanligt. Jag började jobba klockan åtta som vanligt. Vi filmade, åt lunch och filmade igen. Jag slutade klockan fem. Som vanligt. När jag kom hem åt jag middag. Som vanligt. Men när jag öppnade tidningen hände något ovanligt! Jag läste om mig själv. Artikeln om mig finns på sidan 6. Läs den! ☺

5

NYA ORD

bloggar (blogga)	vanlig	något
om	åt (äta)	ovanligt
välkommen	som vanligt	själv
helt	hände (hända)	en sida

B **Öva i par. Fråga och svara.**

1 Vad är en blogg?

2 Vad bloggar Tina om?

3 I dag skriver Tina om något ovanligt. Vad?

C **Diskutera.**

Läser du bloggar? Varför? Varför inte?

Det här gör Tina varje dag:	Tina skriver i bloggen:
Jag **vaknar** klockan sju.	Jag **vaknade** klockan sju.
Jag **börjar** jobba klockan åtta.	Jag **började** jobba klockan åtta.
PRESENS (varje dag, nu)	PRETERITUM (då)
vaknar	vaknade
börjar	började
äter	åt
kommer	kom
händer	hände
läser	läste

D **Fyll i presensformerna.**

PRESENS	PRETERITUM
jobbar	jobbade
vaknar	vaknade
öppnar	öppnade
börjar	började
filmar	filmade
slutar	slutade

+ Öva mera i övningsboken, sidan 71.

5

Vi frågar

A **Läs och lyssna.** 65

VI FRÅGAR: *Gillar du reklamfilm?*

Adam Kowalski, 25 år

Jag tycker att en del reklamfilmer är roliga. Men en del är tråkiga. Jag köper aldrig något bara för att jag har sett det i en reklamfilm.

Naomi Osman, 18 år

Jag gillar reklam i teve. Den där reklamfilmen om mobiltelefonen är kul. Och den där om någon ny värktablett.

5

Mikael Ekberg, 41 år

Nej, jag tittar aldrig på reklam. Om jag tittar på teve och det kommer reklam byter jag kanal. Och så byter jag tillbaka efter reklamen.

Anita Persson, 63 år

Det är bra med reklam på teve. Då blir det paus så att man kan göra andra saker. Sätta på kaffe, stoppa in tvätt i tvättmaskinen eller vattna blommorna till exempel.

NYA ORD

gillar (gilla)	den där	byter (byta)	stoppa in
en del	en mobiltelefon	en kanal	(en) tvätt
roliga	kul	tillbaka	eller
tråkiga	en värktablett	en paus	vattna
aldrig	en reklam	andra	till exempel
har sett (se)	om	sätta på	

B **Skriv svar.**

1 Gillar Adam reklamfilm?

____

2 Tittar Naomi på reklamfilm?

____

3 Varför byter Mikael kanal under reklamen?

____

4 Varför tycker Anita att det är bra med reklam på teve?

____

5

C **Skriv svar.**

Gillar du reklamfilm? Varför? Varför inte?

____

____

____

D **Diskutera.**

1 Tittar du på reklam på teve? Varför? Varför inte?

2 Tycker du att det är bra eller dåligt med reklam mitt i ett program eller en film på teve? Förklara varför.

3 Har du köpt något som du har sett i en reklamfilm på teve eller på bio?

4 Berätta om en reklamfilm som du har sett på teve eller på bio.

+ Öva mera i övningsboken, sidan 72.

Betoning

66

Betoning av verb och objekt i satser med spetsställda adverbial

De stänger klockan tre.	Klockan tre stänger de.
Vi talar svenska hemma.	Hemma talar vi svenska.

Lyssna, markera, läs.

1 Han slutar klockan fem.
De sover på morgonen.
Han arbetar på natten.
De äter i köket.

2 Klockan fem slutar han.
På morgonen sover de.
På natten arbetar han.
I köket äter de.

3 Vi dricker te halv tio.
Hon dricker kaffe efter middagen.
Jag äter frukost i köket.
Han åker buss till jobbet.

4 Halv tio dricker vi te.
Efter middagen dricker hon kaffe.
I köket äter jag frukost.
Till jobbet åker han buss.

5 De öppnar halv elva.
Klockan fem äter vi middag.
På morgonen läser han tidningen.
I dag kommer han.
Jag jobbar här.
I dag spelar de.
I skolan läser vi spanska.
På kvällen spelar han fotboll.
På natten jobbar han.
Vi bor här.
De spelar musik nu.
På vintern snöar det.
Hemma talar de engelska.
Här dricker vi kaffe.

Jonas åker buss

A **Lyssna och läs.** 67

Jonas Åberg är på väg till arbetet. Han brukar cykla, men i dag åker han buss. På bussen träffar han Hassan, som bor i samma hus.

Jonas

Hassan

JONAS: Hej!

HASSAN: Hej! Åker du buss i dag?

JONAS: Ja, det gör jag. Det är så kallt.

HASSAN: Ja, det är det verkligen. Det är säkert tio minus.

JONAS: Och det är väldigt halt.

HASSAN: Ja, då är det farligt att cykla.

JONAS: Ja, det är det. Tar du alltid bussen?

HASSAN: Ja, det gör jag. Jag har långt till jobbet. Det tar trettio minuter med buss. Med cykel tar det över en timme.

JONAS: Men det är bra motion!

HASSAN: Ja, det är det förstås. Men jag vill gärna sova lite längre på morgonen.

JONAS: Vad gör du i kväll? Har du tid att träna?

HASSAN: Ja, det har jag. Jag går dit vid sjutiden.

JONAS: Vad bra. Då ses vi där. Hej då!

HASSAN: Hej då!

5

NYA ORD

ett arbete	väldigt	en cykel	i kväll
brukar (bruka)	halt	(en) motion	har tid (ha tid)
verkligen	farligt	förstås	dit
säkert	alltid	gärna	vid sjutiden
tio minus	långt	längre	

Är Jonas på väg hem?	Ja, det **är** han. Nej, det **är** han inte.	§ 4.7
Har Jonas en cykel?	Ja, det **har** han. Nej, det **har** han inte.	

B **Sätt kryss för rätt svar.**

1 Är Jonas på väg till arbetet?

☑ Ja, det är han. ☐ Nej, det är han inte.

2 Är det kallt i dag?

☑ Ja, det är det. ☐ Nej, det är det inte.

3 Är det tio grader varmt?

☐ Ja, det är det. ☑ Nej, det är det inte.

4 Har Hassan tid att träna i kväll?

☐ Ja, det har han. ☑ Nej, det har han inte.

Tränar Jonas och Hassan?	Ja, det **gör** de. Nej, det **gör** de inte.	§ 4.7
Åker du buss till jobbet?	Ja, det **gör jag.** Nej, det **gör** jag inte.	

C **Sätt kryss för rätt svar.**

1 Cyklar Jonas i dag?

☐ Ja, det gör han. ☑ Nej, det gör han inte.

2 Träffar Jonas Hassan på bussen?

☑ Ja, det gör han. ☐ Nej, det gör han inte.

3 Tar Hassan alltid bussen till jobbet?

☑ Ja, det gör han. ☐ Nej, det gör han inte.

4 Åker Jonas alltid buss?

☑ Ja, det gör han. ☐ Nej, det gör han inte.

D Sätt kryss för rätt svar.

1 Är Hassan och Jonas grannar?

☑ Ja, det är de. ☐ Ja, det har de. ☐ Ja, det gör de.

2 Tar det lång tid för Hassan att cykla till jobbet?

☐ Ja, det är det. ☐ Ja, det har det. ☑ Ja, det gör det.

3 Kommer Hassan och tränar i kväll?

☐ Ja, det gör han. ☑ Ja, det är han. ☐ Ja, det har han.

4 Har Hassan långt till jobbet?

☐ Ja, det är han. ☑ Ja, det har han. ☐ Ja, det gör han.

E Skriv svar.

1 Är du gift? Ja, det är jag

2 Är du 37 år? Nej, det är jag inte

3 Har du en penna? Ja, det har jag

4 Har du en cykel? Ja, det har jag

5 Kommer du från Sverige? Nej, det gör jag inte

6 Åker du buss till skolan? Ja, det gör jag

7 Talar du arabiska? Nej, det gör jag inte

F Skriv svar.

Läs texten på sidan 113 igen. Vilken årstid är det? Hur vet du det?

____

____

+ Öva mera i övningsboken, sidan 73–74.

Ett telefonsamtal

A Lyssna och läs. 

Det är lördag förmiddag. Tina sitter i soffan och läser.
Då ringer hennes telefon.

5

TINA: Tina.

MONIKA: Hej, det är Monika. Stör jag dig?

TINA: Hej, Monika. Nej, inte alls. Det var länge sedan!

MONIKA: Ja, verkligen. Hur är det?

TINA: Bra. Hur är det med dig?

MONIKA: Bara bra. Vad jobbar du med nu för tiden?

TINA: En reklamfilm.

MONIKA: Reklamfilm? Vad handlar den om?

TINA: Det får du se när den kommer på teve!

MONIKA: Vad spännande! Kan vi träffas någon dag?

TINA: Ja, gärna.

MONIKA: Hur har du det i morgon?

TINA: I morgon? På eftermiddagen?

MONIKA: Ja. Du kan komma hem till mig och fika. Klockan tre?

TINA: Ja, vad trevligt.

MONIKA: Då ses vi i morgon. Välkommen. Hej då.

TINA: Hej då.

NYA ORD

ett telefonsamtal	nu för tiden	när
stör (störa)	handlar om (handla om)	spännande
inte alls	får se (få se)	Hur har du det?
länge sedan		trevligt

B Skriv svar.

1 Monika ringer. Tina svarar. Vad säger Tina när hon svarar?

____

2 Monika presenterar sig. Hur presenterar hon sig?

____

3 Varför ringer Monika till Tina?

____

4 Hur avslutar de samtalet?

____

5 Hur svarar du i telefon?

____

6 Hur presenterar du dig?

____

5

C Diskutera.

1 Tina jobbar med en reklamfilm. Vad tror du den handlar om?
2 Varför vill Tina inte berätta det, tror du?
3 Man kan presentera sig på olika sätt när man ringer till olika personer. Kan du ge exempel?

69

5

TELEFONFRASER

Så här kan du svara i telefon:

- ditt förnamn (Tina), vanligt i mobiltelefoner
- ditt efternamn (Nykvist)
- ditt förnamn och ditt efternamn (Tina Nykvist)

Så här kan du presentera dig i telefon:

- Hej, det är (Tina).
- Hej, jag heter (Tina Nykvist).
- Hej, mitt namn är (Tina Nykvist).

Så här kan du fråga efter en person:

- Hej, det är (Lena). Är (Tina) hemma?
- Hej, det är (Lena). Kan jag få prata med (Tina)?
- Hej, mitt namn är (Lena Svensson).
  Jag skulle vilja tala med (Tina Nykvist).

Så här kan du avsluta ett samtal:

- Hej då.
- Ja, då säger vi så. Hej då.
- Tack och hej.

D Vad kan man säga i telefon? Sätt kryss.

Vad kan man säga ...

1 ... när man svarar?

☐ Vem är det? ☐ Hej. ☐ Johan.

2 ... när man presenterar sig?

☐ Hej då. ☐ Hej, det är Peter. ☐ Vi ses.

3 ... när man frågar efter en person?

☐ Är Hanna hemma? ☐ Vem är det? ☐ Hur är det?

4 ... när man avslutar ett samtal?

☐ Ursäkta. ☐ Hej då. Vi ses. ☐ Varsågod.

E Lyssna. Sätt kryss för rätt svar.  

1 Var är Marie?

- ☐ Hemma.
- ☐ På bussen.
- ☐ På jobbet.

2 Vart åker Marie?

- ☐ Till jobbet.
- ☐ Till en pizzeria.
- ☐ Hem.

3 Vad ska Marie och Tina göra i kväll?

- ☐ Jobba tillsammans.
- ☐ Äta tillsammans.
- ☐ Gå på bio tillsammans.

4 Var ska de träffas?

- ☐ Hos Tina.
- ☐ Hos Marie.
- ☐ På en pizzeria.

5 När ska de träffas?

- ☐ Strax.
- ☐ Ungefär klockan sju.
- ☐ De har inte bestämt någon tid.

+ Öva mera i övningsboken, sidan 75.

Familj och släkt

A Lyssna och läs. 

Klara är 5 år. Hon berättar om sin familj och sin släkt:

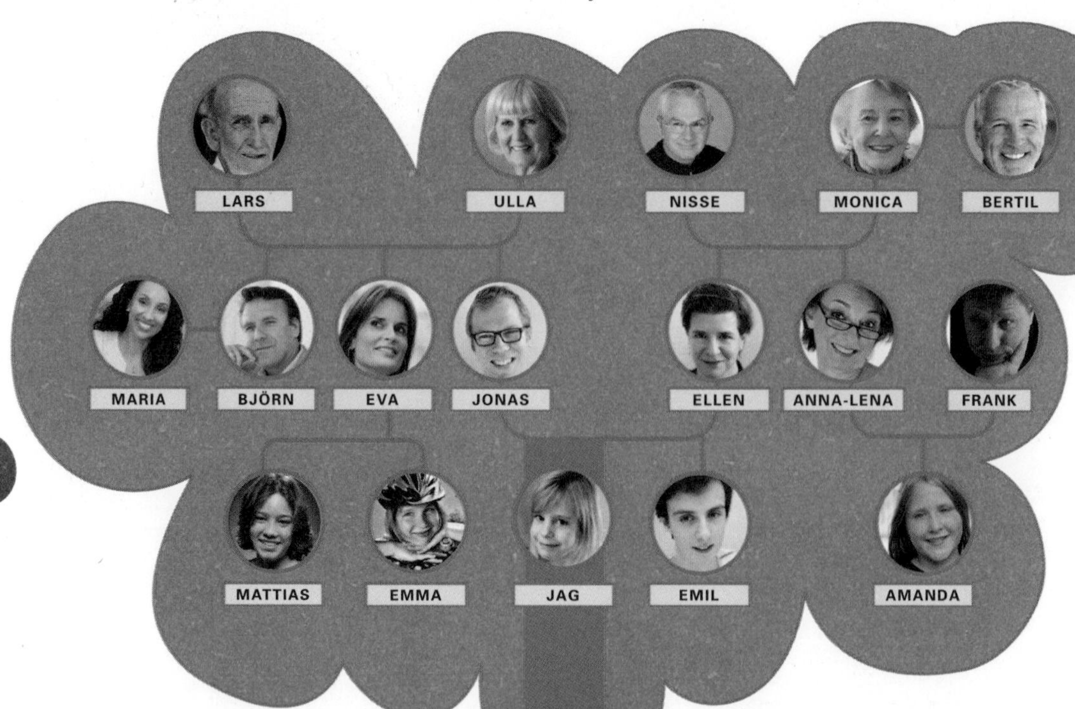

5

Vi är fyra i familjen: pappa, mamma, Emil och jag.

Min pappa heter Jonas och min mamma heter Ellen. Min bror heter Emil. Han är 17 år.

Jag har ganska många släktingar. Jag har en farmor. Hon heter Ulla. Min farfar heter Lars. Farmor och farfar är pappas föräldrar.

Min mormor heter Monica. Hon har en sambo som heter Bertil. Min morfar är död.

Jag har en farbror som heter Björn och en faster som heter Eva. De är pappas bror och syster.

Björn är gift med Maria som är från Spanien.

Eva är inte gift. Men hon har två barn som heter Mattias och Emma. De är mina kusiner.

Jag har en kusin till. Hon heter Amanda. Hennes mamma heter Anna-Lena och hennes pappa heter Frank. Anna-Lena är min moster. Amandas föräldrar är skilda så hon bor ibland hos Anna-Lena och ibland hos Frank.

NYA ORD

en släkt
en bror
ganska
många
en släkting

en farmor
en farfar
en förälder
(plural: föräldrar)
en sambo

en morfar
död
en farbror
en faster
en syster

en kusin
(plural: kusiner)
en moster

§ 7.6

Jag har en farmor. Hon heter Ulla.
Jag har en farmor **som** heter Ulla.

Björn är gift med Maria. Hon är från Spanien.
Björn är gift med Maria **som** är från Spanien.

B Läs texten om Klaras familj och släkt och para ihop så att meningarna blir rätt.

Jonas har en bror	som	är skild.
Klara har en bror		är 17 år.
Ulla är gift med en man		heter Lars.
Klara har två kusiner		heter Björn.
Klara har en faster		heter Mattias och Emma.
Ellen har en syster		har två barn.

Jonas har en bror som heter Björn.
klara har en som är 17 år
Ulla är gift med en men som heter lars
klara har två kusiner som heter mattias och emma
klara har en faster som heter
Ellen har en syster som heter

➕ Öva mera i övningsboken, sidan 76–77.

Mejl om en middag

A Lyssna och läs. 72

Jonas skriver ett mejl till Eva. Hon har två barn som heter Mattias och Emma.

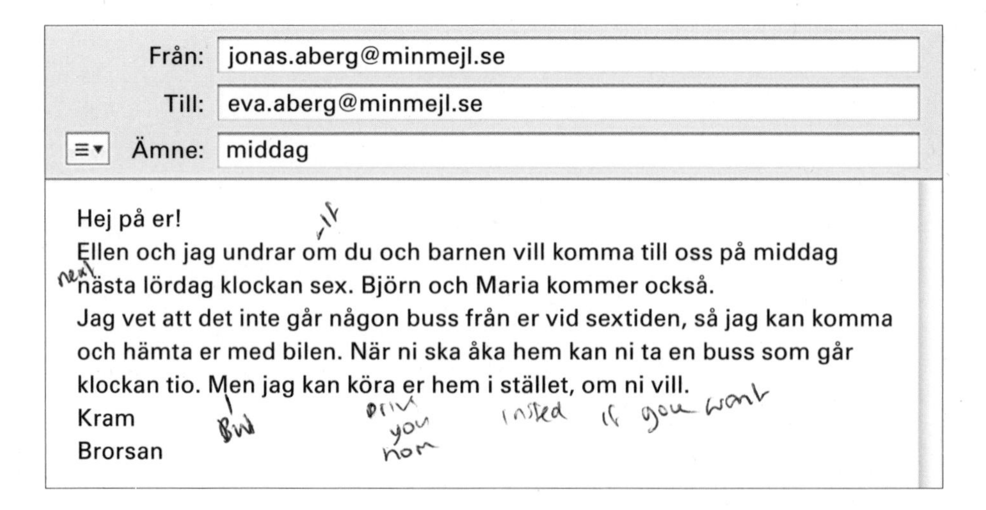

Från: jonas.aberg@minmejl.se
Till: eva.aberg@minmejl.se
Ämne: middag

Hej på er!
Ellen och jag undrar om du och barnen vill komma till oss på middag nästa lördag klockan sex. Björn och Maria kommer också.
Jag vet att det inte går någon buss från er vid sextiden, så jag kan komma och hämta er med bilen. När ni ska åka hem kan ni ta en buss som går klockan tio. Men jag kan köra er hem i stället, om ni vill.
Kram
Brorsan

5

Från: eva.aberg@minmejl.se
Till: jonas.aberg@minmejl.se
Ämne: SV: middag

Hej brorsan!
Vad trevligt att bli bjuden på middag! Vi kommer gärna. Du behöver inte hämta oss. Vi ska in till stan på eftermiddagen och kommer sedan direkt till er. Och sedan kan vi ta bussen hem.
Hälsa Ellen och barnen!
Eva

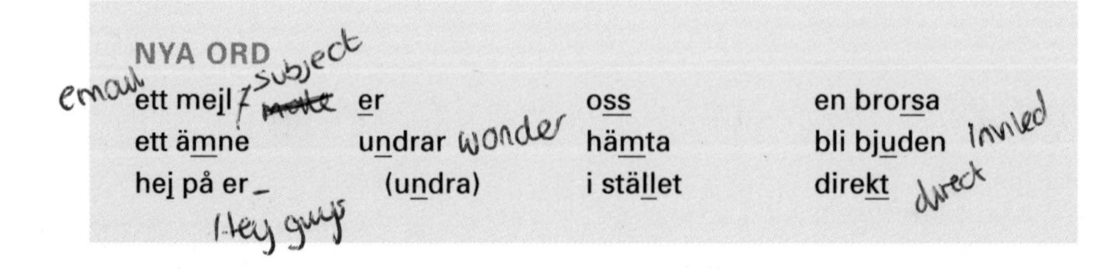

NYA ORD

ett mejl	er	oss	en brorsa
ett ämne	undrar (undra)	hämta	bli bjuden
hej på er		i stället	direkt

B Sätt kryss för rätt svar.

1 Vem skriver Jonas ett mejl till?

- [ ] Till Ellen.
- [x] Till Eva.
- [ ] Till Björn och Maria.

2 Varför skriver han ett mejl?

- [ ] Han vill tacka för inbjudan.
- [x] Han vill berätta att han är bjuden på middag.
- [ ] Han vill bjuda in till en middag.

3 Kommer Eva och barnen på lördag?

- [x] Ja.
- [ ] Nej.
- [ ] Kanske.

4 Varför behöver Jonas inte hämta dem med bil?

- [ ] De tar en buss som är framme i stan klockan sex.
- [ ] De ska in till stan tidigare, så de behöver inte bli hämtade.
- [ ] De ska köra själva.

5 Hur ska Eva och barnen komma hem efter middagen?

- [ ] Jonas ska köra dem hem.
- [ ] De ska inte hem. De ska stanna i stan.
- [ ] De ska åka buss.

6 Vem är Eva?

- [ ] Jonas bror.
- [ ] Jonas syster.
- [ ] Björns fru.

C Öva i par. Fråga och svara.

1 Jonas skriver under med ordet "brorsan". Vad betyder det?

2 Vad har Eva för mejladress?

3 Vilka är Björn och Maria? Titta på släktträdet på sidan 120.

PERSONLIGA PRONOMEN § 5.1

SUBJEKTSFORM	OBJEKTSFORM
jag	mig (mej)
du	dig (dej)
han	honom
hon	henne
den	den
det	det
vi	oss
ni	er
de (dom)	dem (dom)

5

D **Skriv rätt objektsform.**

1 Jag väntar på **Jonas**. Jag måste prata med ________________.

2 Ellen väntar på **Tina**. Hon ska fika med ________________.

3 **Jag** vill prata med dig. Kan du ringa ________________ i kväll?

4 Jag ringer till **mormor och morfar.** Jag vill prata med ________________.

5 **Vi** kommer lite sent. Väntar du på ________________?

6 **Ni** måste komma. Jag vill träffa ________________.

7 Kan **ni** komma till oss i kväll? Vi vill bjuda ________________ på middag.

8 Tina träffar ofta **Ellen och Jonas**. Hon trivs tillsammans med ________________.

+ Öva mera i övningsboken, sidan 78.

En tidtabell

NYA ORD
en tidtabell

A **Eva, Mattias och Emma ska åka buss till stan.**
Titta i tidtabellen och svara på frågorna.

223 Smygestad – Resecentrum
Lördagar

Smygestad	Nytorpa	Ryd C	Granvägen	Resecentrum
08.10	08.20	08.45	09.02	09.07
10.40	10.50	11.15	11.32	11.37
13.10	13.20	13.45	14.02	14.07
15.40	15.50	16.15	16.32	16.37

5

1 Eva, Mattias och Emma ska åka från Smygestad till Resecentrum.

Vilket nummer har bussen? __________

2 Hur många bussar går det från Smygestad till Resecentrum

på lördagar? __________

3 När går första bussen från Smygestad på lördagar? __________

4 De åker från Smygestad klockan tjugo i elva.

När kommer de till Resecentrum? __________

5 Hur lång tid tar det att åka från Smygestad till Resecentrum? __________

B **Skriv svar.**

1 Hur kommer du till skolan? __________

2 Hur lång tid tar det för dig att ta dig till skolan? __________

+ Öva mera i övningsboken, sidan 79.

Sverige, en monarki

A Lyssna och läs. 73

Sverige är en monarki. En monarki är ett land som har en kung eller drottning som statschef. Sveriges kung har ingen politisk makt.

Sveriges kung heter Carl XVI (Carl den sextonde) Gustaf. Hans fru heter Silvia. Hon är Sveriges drottning. Drottning Silvias pappa var tysk och mamman var från Brasilien.

5

Kungen och drottningen har tre barn, två döttrar och en son.

Den äldsta dottern heter Victoria. Hon är gift. Hennes man heter Daniel. Victoria är kronprinsessa och kommer att bli statschef efter sin far.

De andra barnen, prins Carl Philip och prinsessan Madeleine, kan själva välja vad de vill göra i livet.

NYA ORD

en monarki	politisk	äldsta	välja
en kung	(en) makt	en kronprinsessa	vad
en drottning	hans	kommer att bli	
en statschef	en dotter	en prins	
ingen	(plural: döttrar)	en prinsessa	

B Diskutera.

1 Finns det en kung eller drottning i ditt hemland?

2 Har hon eller han någon politisk makt?

+ Öva mera i övningsboken, sidan 80.

Uttal

74

i	y	u		o
e	ö			å
ä				
är	ör		a	

ä – är

äta ära
läkare lärare

ö – ör

öga öra
föl för

LÅNG VOKAL		LÅNG KONSONANT
kära	är	kärra
dör för	ör	dörr förr

---

l – r

lök rök
last rast

b – v

bal val
bittra vittra

5

Familjer

Vilka personer ingår i de här familjerna?

Från vilka länder kommer de?

Ser familjerna likadana ut i Sverige och i ditt hemland?
Vad är lika och vad är olika?

5

+ Öva mera i övningsboken, sidan 81.

Vad drömmer de om?

A **Lyssna och läs.** 

Tina är skådespelare. Just nu arbetar hon med reklamfilmer. Det är ganska roligt och hon behöver tjäna pengar. Men hon drömmer om att få vara med i en riktig film, en långfilm.

Olle är skild. Han har tre barn, men de bor mest hos sin mamma. Därför känner sig Olle ofta ensam. Han drömmer om att träffa en ny kvinna att leva med.

Hassan drömmer om ett hus. Han och Linda bor ihop. Nu väntar de barn och Hassan vill ha ett stort hus för han och Linda vill ha många barn.

Klara är 5 år. Hon kan inte läsa och skriva ännu. Hon vill börja skolan för hon vill kunna läsa och skriva. Hon drömmer om att skriva böcker när hon blir stor.

Linda väntar barn med Hassan. De är sambor, men Linda vill gärna gifta sig. Hon drömmer om ett stort bröllop med många gäster. Det är bara en dröm för ett stort bröllop kostar mycket pengar.

Emil är 17 år och går andra året på gymnasiet. Han vill lära sig köra bil. Han vill ta körkort och drömmer om att köpa en egen bil.

NYA ORD

drömmer (drömma)
tjäna
vara
riktig
en film

en långfilm
ihop
gifta sig
ett bröllop
en gäst (plural: gäster)

mest
därför
känner sig (känna sig)
en kvinna
leva

ännu
kunna
en bok (plural: böcker)
egen

B **Vem drömmer om vad? Skriv rätt namn under bilderna.**

1 ____________________ 2 ____________________ 3 ____________________

4 ____________________ 5 ____________________ 6 ____________________

C **Vad drömmer du om?**

____

____

____

+ Öva mera i övningsboken, sidan 82–83.

§ 6.2

Tina **är** med i en reklamfilm. Hon vill **vara** med i en långfilm.
Hassan **bor** i en lägenhet. Han vill **bo** i ett hus.

PRESENS		INFINITIV
träffar →	träffar →	träffa
slutar		sluta
hjälper →	hjälper + a →	hjälpa
ringer		ringa
bor →	bor →	bo

§ 6.3

PRESENS	INFINITIV
är	vara
gör	göra
har	ha
går	gå
blir	bli
kan	kunna
vill	vilja

6

D Skriv verben i infinitiv.

▶ Tina tjänar inte mycket pengar. Hon vill ___tjäna___ mera.

1 Linda bor ihop med Hassan. Hon vill ___bo___ ihop med honom hela livet.

2 Olle träffar ingen kvinna nu, men han vill gärna ___träffa___ en ny kvinna.

3 Han arbetar på natten. Han vill inte ___~~sova~~ arbeta___ på natten.

4 Hassan och Linda har en lägenhet, men Hassan vill ___ha___ ett hus.

5 Klara läser inte. Hon kan inte ___läsa___.

6 Klara går inte i skolan. Hon vill ___gå___ i skolan.

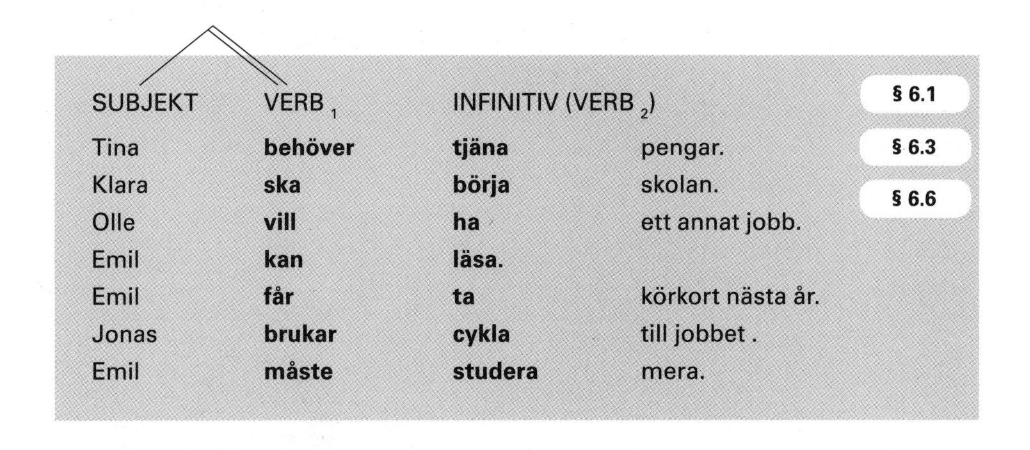

SUBJEKT	VERB $_1$	INFINITIV (VERB $_2$)	
Tina	**behöver**	**tjäna**	pengar.
Klara	**ska**	**börja**	skolan.
Olle	**vill**	**ha**	ett annat jobb.
Emil	**kan**	**läsa.**	
Emil	**får**	**ta**	körkort nästa år.
Jonas	**brukar**	**cykla**	till jobbet .
Emil	**måste**	**studera**	mera.

§ 6.1
§ 6.3
§ 6.6

Markerar alltid subjektet	Markerar alltid första verbet (VERB $_1$)

E Skriv meningar. Börja med orden med fet stil (subjektet).

ta körkort **Emil** vill	1 ______
köpa en bil vill **Emil**	2 Emil vill köpa en bil.
Hassan och Linda ha en stor familj vill	3 Hassan och Linda vill ha en stor familj
en ny tröja behöver **Emil** köpa	4 Emil behöver köpa en ny tröja
skriva böcker vill **Klara**	5 K vill skriva böcker
måste **du** mig lyssna på	6 Du måste lyssna på mig

6

✚ Öva mera i övningsboken, sidan 84–85.

Emil vill ta körkort

A Läs och lyssna. 76

Nästa år fyller Emil 18 år. Då vill han ta körkort.

Nu måste han ansöka om ett tillstånd för att få ta körkort. Det gör man hos Transportstyrelsen.

Sedan ska han anmäla sig till en bilskola för att ta körlektioner där. Men det är dyrt att ta lektioner, så Emil vill övningsköra privat också. Då måste man ha en handledare. Emil frågar Ellen om hon vill bli handledare. Det vill hon. Ellen och Emil måste gå en utbildning tillsammans innan Emil får börja övningsköra.

6

www.petterssonssmastad.se

PETTERSSONS TRAFIKSKOLA

Introduktionsutbildning

Hos oss kan ni gå handledarutbildning. För att bli godkänd som handledare krävs att du är minst 24 år och du måste ha haft körkort i minst 5 år.

Tid: lördagar 9.00–12.30. Fika ingår.

Kommande kurser v 2, 5, 9, 12.

Klicka här för att anmäla dig.

Har du frågor? Mejla till: info@pettersonssmastad.se

NYA ORD

fyller (fylla)	dyrt	en introduktions-utbildning	kommande
måste	övningsköra	godkänd	klicka
ansöka	privat	som	en fråga (plural: frågor)
ett tillstånd	en handledare	krävs (krävas)	mejla
anmäla sig	en utbildning	minst	
en bilskola	innan	ha haft	
en körlektion (plural: körlektioner)	en trafikskola	ingår (ingå)	

B Rätt eller fel? Sätt kryss.

		Rätt	Fel
1	Emil är 18 år.	☐	☐
2	Man måste ha ett tillstånd för att få övningsköra.	☐	☐
3	Emil vill bara övningsköra på en bilskola.	☐	☐
4	Emil vill övningsköra med Ellen.	☐	☐
5	Ellen har haft körkort i två år.	☐	☐
6	Ellen vill bli Emils handledare.	☐	☐
7	Om du vill bli handledare måste du vara minst 24 år.	☐	☐
8	Handledarutbildningen på Petterssons Trafikskola är på kvällen.	☐	☐

C Diskutera.

1 Hur gammal måste man vara för att få ta körkort i ditt hemland?

2 Hur lär man sig köra bil i ditt hemland?

3 Hur tar man körkort i ditt hemland?

+ Öva mera i övningsboken, sidan 85.

Vägmärken

A Lyssna och läs. 77

Man får inte cykla här.

Man måste svänga till höger.

Man får inte svänga till vänster.

Man får inte köra över 90 kilometer i timmen.

Man får parkera här.

NYA ORD
ett vägmärke
får inte
svänga
parkera

B Vad betyder vägmärkena? Sätt kryss för rätt svar.

1

☐ Du måste köra över 70 kilometer i timmen.
☐ Du får köra över 70 kilometer i timmen.
☐ Du får inte köra över 70 kilometer i timmen.

2

☐ Du får svänga till höger.
☐ Du får inte svänga till höger.
☐ Du måste svänga till höger.

3

☐ Du får parkera här.
☐ Du får inte parkera här.
☐ Du måste parkera här.

SUBJEKT	$VERB_1$	INFINITIV	($VERB_2$)	
Man	får	**inte**	cykla	här.
Man	måste	**alltid**	stanna	här.
Man	ska	**aldrig**	parkera	här.

§ 6.6
§ 6.7

alltid - always
aldrig - never

C Skriv meningar. Börja med orden med fet stil.

får parkera **man** här inte	1 Man får inte parkera här ✓
jag nu kan svara inte	2 Jag ~~nu~~ kan inte svara nu ✓ (answer)
på henne **vi** vill inte vänta	3 Vi vill inte vänta på henne ✓
brukar **hon** cykla inte till skolan	4 Hon brukar cykla inte till skolan
de oss aldrig kan förstå	5 De kan aldrig (never) förstå (understand) oss ✓
i morgon komma inte **du** behöver	6 Du behöver inte komma i morgon
han på natten vill jobba inte	7 Hon vill inte jobba på natten
kan fråga **du** alltid honom	8 Du kan alltid fråga (ask) honom
kan komma inte **jag** på lördag	9 Jag kan inte komma på lördag
aldrig vill **hon** träffa honom	10 Hon vill aldrig träffa honom

+ Öva mera i övningsboken, sidan 86.

När blir man vuxen?

A Lyssna och läs. 78

Så länge du är under 18 år räknas du som barn. När du blir 15 år får du köra moped. Då blir du också straffmyndig. Det betyder att du kan dömas för brott.

När du fyller 16 år får du börja övningsköra för att ta körkort.

Du blir myndig när du fyller 18 år. Då får du bestämma själv över ditt liv. Då får du gifta dig. Du får ta körkort. Du får rösta i politiska val. Du kan låna pengar i en bank. Du får köpa cigaretter. Om du går på restaurang eller pub får du dricka alkohol.

Men en sak får du inte göra, även om du räknas som vuxen. Du får inte köpa alkohol på Systembolaget. Då måste du vara 20 år.

6

NYA ORD

vuxen	straffmyndig	bestämma	en cigarett
så länge	dömas	rösta	en pub
under	ett brott (plural: brott)	ett val (plural: val)	(en) alkohol
räknas	myndig	låna	även om
en moped			

B Diskutera.

1 När räknas man som vuxen i ditt hemland?

2 Vad får man göra i ditt hemland när man är 15 år?

3 Vad får man göra när man är 18 år?

4 Får pojkar och flickor göra samma saker?

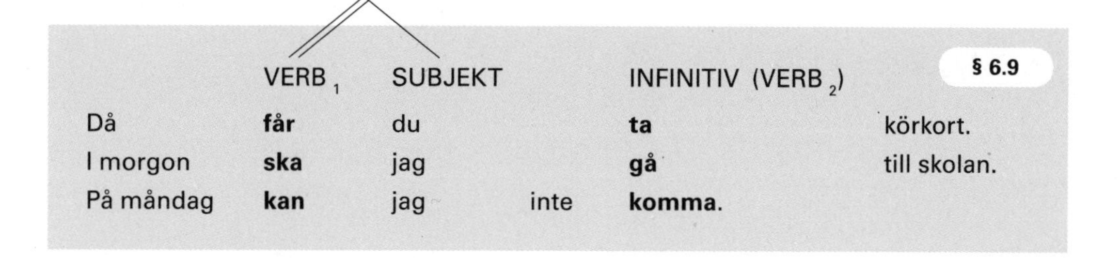

	VERB 1	SUBJEKT		INFINITIV (VERB 2)	
Då	**får**	du		**ta**	körkort.
I morgon	**ska**	jag		**gå**	till skolan.
På måndag	**kan**	jag	inte	**komma.**	

§ 6.9

C Skriv meningar. Börja med orden med fet stil.

Emil **på tisdag** ska övningsköra

1 På tisdag Emil ska övningsköra

på morgonen Hassan brukar dricka kaffe

2 På morgonen brukar Hassan dricker kaffe

hjälpa dig jag kan **nu**

3 Nu kan jag hjälpa dig

på Hassan Linda **nästan varje kväll** måste vänta

4 Nästan varje kväll Linda måste vänta på Hassan

behöver prata hon med honom **nu**

5 Nu behöver hon prata med honom

Hassan **nästa höst** vara ledig ska

6 Nästa höst ska Hassan vara ledig

nästa vecka jag inte jobba ska

7 Nästa vecka ska jag inte jobba

skriva vill jag inte **nu** mer

8 Nu vill jag inte skriva mer

6

+ Öva mera i övningsboken, sidan 87–88.

Betoning

79

Betoning av verb och objekt i frågesatser med flera verb

Vad vill du äta? När vill du dricka kaffe?
Kan du svara? Kan du tala svenska?

Lyssna, markera, läs.

1 När måste ni gå?
Vill du titta?
Vad vill du säga?
Vart ska jag ringa?
Kan du öppna?

2 Var kan jag dricka vatten?
Vill han ta körkort?
Varför vill han köpa hus?
När brukar han komma hem?
Vill du vara ledig?

3 Kan du förstå?
Vem kan jag fråga?
När brukar de äta middag?
Får jag komma klockan tre?
Kan du vänta?
Vill ni tjäna pengar?
Vad brukar du läsa?
När måste ni vara hemma?
Kan hon köra bil?
Var kan man dricka kaffe?
När får man övningsköra?
Varför måste du gå?
Vill du sitta?
När måste vi sluta?
Vem vill du träffa?
Varför måste vi tala svenska?

Kroppen

Lyssna och läs. 80

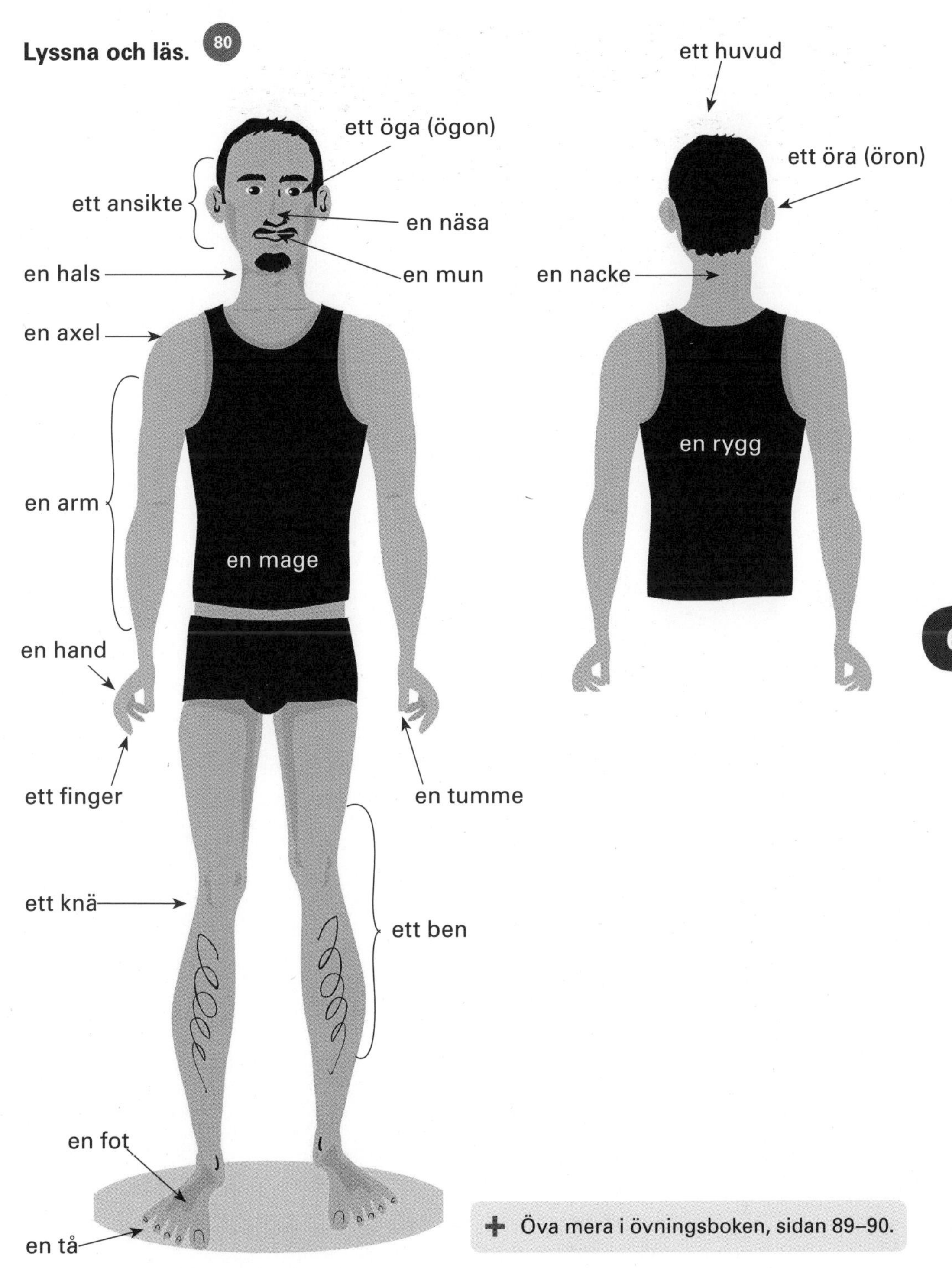

6

+ Öva mera i övningsboken, sidan 89–90.

Hur mår du?

A Lyssna och läs. 

DAVID: Hur mår du? Är du sjuk?

PEDRO: Ja, jag mår inte bra. Jag är väldigt trött och jag har ont i huvudet. Jag börjar bli förkyld, tror jag.

DAVID: Har du feber?

PEDRO: Kanske. Jag fryser.

DAVID: Vill du ha en värktablett?

PEDRO: Nej, tack. Jag går hem och lägger mig. Kan du säga till de andra?

DAVID: Javisst. Jag hoppas du blir frisk till i morgon.

PEDRO: Tack. Om jag inte kommer så hör jag av mig.

DAVID: Hej då! Krya på dig!

PEDRO: Tack ska du ha.

NYA ORD

mår (må)
sjuk
ont i huvudet
förkyld
tror (tro)

(en) feber
kanske
fryser (frysa)
lägger mig (lägga sig)

säga till
frisk
hör av mig (höra av sig)

krya på dig (krya på sig)
tack ska du ha

B Sätt kryss för rätt svar.

1 Pedro har ont i...

☐ ryggen. ☐ magen. ☐ huvudet.

2 Pedro är ...

☐ lite trött. ☐ ganska trött. ☐ mycket trött.

3 Pedro vill ...

☐ gå från jobbet. ☐ stanna kvar på jobbet. ☐ ha en värktablett.

4 Pedro ska ...

☐ komma i morgon. ☐ ringa om han inte kommer. ☐ säga till de andra.

5 Krya på dig! betyder ...

☐ Hoppas att du blir frisk snart. ☐ Ha en bra dag. ☐ Vi ses.

C Diskutera.

1 Kommer Pedro i morgon, tror du?

2 Ska man stanna hemma när man är förkyld?

6

D Lyssna. Sätt kryss för rätt svar.

82

1 Var har Eva ont?

☐ I huvudet. ☐ I halsen. ☐ I magen.

2 Vad ska Eva göra nu?

☐ Gå hem och lägga sig. ☐ Dricka te. ☐ Träffa en elev.

3 När ska eleven komma?

☐ Halv tre. ☐ Tre. ☐ Tio.

4 När ska Eva ringa?

☐ I eftermiddag. ☐ I kväll. ☐ I morgon.

5 Kommer Eva i morgon?

☐ Ja. ☐ Nej. ☐ Hon vet inte.

VERB	SUBJEKT	
Vill	du	ha en värktablett?
Kan	du	säga till de andra?
Ska	han	åka hem nu?

§ 6.8

E Skriv frågor.

tala kan du ? engelska	1 Tala du kan engelska?
sitta får ? jag här	2 Får jag sitta här?
du låna min bok vill ?	3 Vill du låna min bok?
hem måste gå ni ? nu	4 Måste ni gå hem nu?

6

Kan klara cykla?	Ja, det **kan** hon.
Får Emil köra bil?	Nej, det **får** han inte.
Vill du gå nu?	Ja, det **vill** jag.

§ 6.8

F Para ihop fråga och svar. Dra streck.

1 Kan ni vänta på mig?	Ja, det brukar hon.
2 Brukar hon åka buss?	Nej, det vill jag inte.
3 Kan du köra bil?	Ja, det måste du.
4 Måste jag läsa läxor?	Nej, det kan jag inte.
5 Vill du sluta nu?	Ja, det kan vi.

+ Öva mera i övningsboken, sidan 90–91.

Uttal

83

f + konsonant		g + konsonant		k + konsonant	
risk	frisk	ren	gren	var	kvar
lera	flera	lida	glida	rita	krita

p + konsonant		s + konsonant		t + konsonant	
last	plast	mil	smil	råd	tråd
rov	prov	pik	spik	veka	tveka

-rd, -rn, -rs, -rt

bod	bord	Varför dricker du så mycket?
ton	torn	Har ni tid?
mos	mors	Du kommer för sent.
fat	fart	Han dricker te.

6

Hos barnmorskan

Sjuttioett och ett halvt.

A Lyssna och läs. 84

6

Linda väntar barn. Nu är hon hos barnmorskan, som ska undersöka henne.

BARNMORSKAN:	Välkommen! Hur är det?
LINDA:	Det är bra. Jag mår inte så illa längre.
BARNMORSKAN:	Det var bra. Du, ställ dig här på vågen så får vi se hur mycket du väger.
LINDA:	Sjuttioett och ett halvt.
BARNMORSKAN:	Det är tre kilo mer än förra gången. Nu ska vi lyssna på hjärtat. ... Det låter normalt.
LINDA:	Får jag fråga en sak?
BARNMORSKAN:	Javisst.
LINDA:	Hur länge kan jag fortsätta träna?
BARNMORSKAN:	Så länge du orkar. Det är bra med motion, men om du får ont ska du sluta.
LINDA:	Vad ska jag tänka på mer?

BARNMORSKAN:	Du kan leva ett helt normalt liv, men du vet att du måste tänka på vad du äter och dricker under hela graviditeten. Och du får inte röka.
LINDA:	Det vet jag. Jag röker inte.
BARNMORSKAN:	Det är bra. Du och barnets pappa kan anmäla er till en föräldragrupp. Du ska få ett informationsblad här.

Barnmorskan ger Linda ett papper.

LINDA:	Tack!
BARNMORSKAN:	Då ses vi om en månad igen. Hej då!
LINDA:	Hej då!

NYA ORD

en barnmorska	väger (väga)	låter (låta)	röka
undersöka	ett halvt (= ett halvt kilo)	normalt	en föräldragrupp
mår illa (må illa)	ett kilo (= ett kg)	fortsätta	ett informationsblad
ställ dig (ställa sig)	mer än	orkar (orka)	ger (ge)
en våg	förra gången	under	om
		en graviditet	

6

B Öva i par. Fråga och svara.

1. Vem undersöker Linda?
2. Hur mycket väger Linda?
3. Hur länge får Linda träna?
4. Vad måste Linda tänka på?
5. Vem ska gå med Linda till föräldragruppen?

C Diskutera.

1. Vad ska en kvinna som väntar barn äta och dricka? Vad är bra för henne och barnet?
2. Vad är en föräldragrupp?

FRÅGEORD	VERB₁	SUBJEKT	
Vad	vill	barnmorskan	veta?
Hur	ska	de	anmäla sig till en föräldragrupp?
Vad	måste	Linda	tänka på?

D Skriv frågor.

ska ? vad heta barnet	1	______
göra vad får Linda ?	2	______
hur länge ? kan hon träna	3	______
ska komma Linda tillbaka ? när	4	______
du måste ? varför gå hem	5	______
ska när sluta vi ?	6	______
vi ska vad ? göra	7	______
han ska ? åka varför nu	8	______
komma ? när vi kan	9	______
var ? vill sitta du	10	______

6

+ Öva mera i övningsboken, sidan 92–93.

Föräldragrupp

A **Lyssna och läs.** 

Linda och Hassan ska ha barn. Linda har fått ett informationsblad om en föräldragrupp.

> **Välkomna till föräldragrupp!**
>
> Här får ni som blivande föräldrar information om allt som rör graviditeten.
>
> Ni får också chans att ställa frågor om allt som ni undrar över och träffa andra i samma situation.
>
> Vi träffas vid fyra tillfällen under graviditeten och en gång när barnen är födda.
>
> Tid: Torsdagar 17.00 – 19.30. Start den 2/2. Därefter första torsdagen i månaden.
>
> Plats: Röda Rummet, Mödravårdscentralen, Klostergatan 54
>
> Anmäl er hos barnmorskan eller på telefon 0111-10 33 10.
>
> Välkomna!
> Mödravårdscentralen i Småstad

NYA ORD
välkomna
blivande
rör (röra)
en chans
ställa frågor
en situation
ett tillfälle
en start
därefter
en mödravårds-
central (MVC)

B **Sätt kryss för rätt svar.**

1 Vilka kan vara med i föräldragruppen?

☐ De som väntar barn. ☐ De som har fått barn. ☐ Bara mammor.

2 Hur många gånger ska föräldragruppen träffas?

☐ En. ☐ Fyra. ☐ Fem.

3 Hur ska man anmäla sig?

☐ Man ska mejla. ☐ Man ska inte anmäla sig. ☐ Man ska ringa.

C **Diskutera.**

Hur får blivande föräldrar information om graviditeten i ditt hemland?

+ Öva mera i övningsboken, sidan 94.

Vi frågar

A Lyssna och läs. 86

VI FRÅGAR: *Hur håller du dig i form?*

Anna, 33 år, förskollärare

Jag tränar på gym tre gånger i veckan. Jag måste hålla mig i form för att orka med jobbet. Jag arbetar på en förskola med barn mellan 1 och 3 år, så jag lyfter många kilon varje dag.

Mohammed, 43 år, snickare

Jag försöker leva sunt. Jag äter frukt och grönsaker varje dag. Och så dricker jag ingen alkohol. Och jag röker inte. Jag tror också att det är viktigt att sova ordentligt, minst sju timmar per natt.

Vincent, 25 år, studerande

Jag springer i skogen flera gånger i veckan. Det finns ett bra spår med belysning där jag bor, så jag kan springa när det är mörkt. Jag sitter och pluggar flera timmar om dagen och då är det viktigt att röra på sig också.

Lise, 68 år, pensionär

Jag går på gympa en gång i veckan. Och så går jag till simhallen och simmar ibland. Men det är mycket annat som är viktigt för att må bra. Till exempel att träffa vänner och ha roligt ihop. Vi skrattar mycket.

NYA ORD

håller dig (hålla sig)
i form
en förskollärare
lyfter (lyfta)
en snickare
försöker (försöka)
sunt
en frukt
viktigt
ordentligt
springer (springa)
en skog
flera
ett spår
en belysning
mörkt
pluggar (plugga)
röra på sig
en pensionär
(en) gympa = gymnastik
simmar (simma)
skrattar (skratta)

B Öva i par. Fråga och svara.

1 Varför är det viktigt för Anna att träna? - Work

2 Hur gör Mohammed för att hålla sig i form? – Eats fruit + veg, no alcohol smoking

3 Varför springer Vincent? Sits infront computer all day

4 Vad tycker Lise är viktigt? feel good

C Hur håller du dig i form? Sätt kryss för de alternativ som är rätt för dig.

- ☑ Jag tränar flera gånger i veckan.
- ☑ Jag äter mycket frukt och grönsaker.
- ☐ Jag röker inte.
- ☒ Jag dricker inte alkohol.
- ☑ Jag cyklar till skolan.
- ☑ Jag går mycket.
- ☒ Jag sover minst sju timmar varje natt.
- ☐ Jag träffar vänner.
- ☑ Jag skrattar mycket.

D Lyssna. Hur gör Daniel för att hålla sig i form? Flera svar är rätt. 87

- ☐ Han tränar flera gånger i veckan.
- ☐ Han äter mycket frukt och grönsaker.
- ☐ Han röker inte.
- ☐ Han dricker inte alkohol.
- ☐ Han cyklar till arbetet.

+ Öva mera i övningsboken, sidan 94.

6

Må bra

Vad gör de?

I vilket land är det?

Skulle det kunna vara i ditt hemland?
Varför? Varför inte?

Hur håller du dig i form?

+ Öva mera i övningsboken, sidan 95.

7

Tina går och handlar

A **Lyssna och läs.** 

I kväll kommer några vänner hem till Tina på middag. Nu ska hon gå och handla. Hon tittar i ett reklamblad från en stor mataffär och funderar på vad hon ska köpa.

Matmarknaden
Priserna gäller v. 8, 20/2-26/2
FRYST KYCKLING ca 1,5KG
39,90/st
TOMATER Spanien
19,90/kg
GURKA Sverige
2 för 15:-
PAPRIKA Holland
39:-/kg
ÄGG 12-PACK
29,90/st
COLA/FANTA 1,5l
12,90/st
Matmarknaden
Storgatan 53
567 89 Småstad
Öppet alla dagar 9-21

Hon bestämmer sig för att laga en rätt med kyckling och ris. Och så naturligtvis en härlig sallad med olika sorters grönsaker. Det kommer att bli gott, tänker Tina.

Till kaffet efter maten tänker hon baka en kaka. I kakan ska det vara ägg, socker, smör, mjöl och choklad. Hon har allt hemma utom ägg. Hon tänker servera kakan med vispgrädde. Tina vet att några av hennes vänner vill ha mjölk i kaffet. Hon dricker inte mjölk själv, så hon har ingen mjölk hemma.

Tina brukar köpa frukt och grönsaker på torget. Där finns alltid fräscha varor. Men i dag har hon bråttom och vill handla allt på samma ställe. Den stora mataffären har extrapris på både kyckling och grönsaker. Därför tänker Tina handla allt där.

NYA ORD

går och handlar
(gå och handla)
handlar (handla)
en mataffär
gäller (gälla)
fryst
en kyckling
ca = cirka
kg = kilogram
39,90/st = 39,90 per styck
en tomat
(plural: tomater)
en gurka
en paprika

Holland
ett ägg (plural: ägg)
12-pack
l = liter
bestämmer sig
(bestämma sig)
en rätt
(ett) ris
naturligtvis
härlig
en sallad
olika
en sort
(plural: sorter)
baka

en kaka
(ett) socker
(ett) smör
(ett) mjöl
(en) choklad
utom
servera
(en) vispgrädde
fräsch
en vara (plural: varor)
har bråttom
(ha bråttom)
ett ställe
ett extrapris

Vi säger **kilo**, men vi skriver ofta **kg**.
Vi säger **liter**, men vi skriver ofta **l**.
Vi säger **styck**, men vi skriver ofta **st**.

Tinas vänner	kommer	i kväll.
Tina ska	handla	mat.
Hon tänker	baka	en kaka.
Det kommer att	bli	gott.

§ 9.2

En del svenskar säger:
Det kommer bli gott.

Vi skriver **att** göra, men vi säger **å** göra.

B Skriv svar.

1 Vilka kommer till Tina i kväll?

____

2 Vad tänker hon baka?

____

3 Vilka varor ska hon köpa?

ägg, socker, mjol, choklad, smör
____

4 Var tänker Tina köpa grönsaker?

____

C Öva i par. Fråga och svara.

1 Vad gör du i kväll?
2 Vad tänker du göra på söndag?
3 Vad ska du göra om 12 månader? – minutes from now
4 Vad kommer du att göra om 10 år?

+ Öva mera i övningsboken, sidan 97–98.

Betoning

89

Betoning av verb och objekt

– Tycker du om att laga mat?

– Nej, men jag tycker om att äta mat.

A **Lyssna, markera, läs.**

– Kan du tala engelska?

– Jag kan inte tala engelska, men jag kan förstå engelska.

– Brukar du spela fotboll?

– Jag brukar inte spela, men jag brukar titta på fotboll.

Betoning av verb och pronomen

– Hej, hur mår du?

– Jag mår bra. Hur mår du?

B **Lyssna, markera, läs.**

– Kommer Hassan och Linda på lördag?

– Hon kommer, men inte han.

– Ska vi gå nu?

– Du kan gå, men jag stannar.

– Vi pratar med er.

– Pratar ni med oss?

– Tycker du om henne?

– Nej, jag tycker bara om dig.

Ett kvitto

A **Lyssna och läs.** 

Tina handlar på Matmarknaden. När hon betalar får hon ett kvitto.

MATMARKNADEN
Storgatan 53
Tel: 0111-273856
2013-02-24 18:35
Kassör: Kristina

Artikel		Kr
KYCKLING		39,90
TOMATER		
0,613 kg x 19,90		12,19
GURKA 2 st		15,00
PAPRIKA		
0,461 kg x 39,00		17,97
SALLADSHUVUD 1 st		12,90
RIS 1 kg		25,90
ÄGG 12-pack		29,90
MJÖLK	1 l	7,90
VISPGRÄDDE	3 dl	11,85
COLA	1,5 l	12,90
ÖL	6-pack	39,95
ATT BETALA		226,36
KONTANT		300,00
TILLBAKA		73,64

SPARA KVITTOT!
TACK FÖR IDAG OCH VÄLKOMMEN ÅTER!

NYA ORD
ett kvitto
betalar (betala)
en kassör
en artikel
(ett) öl
kontant
spara
åter

Hur dags stänger affären?	Nio.	§ 4.4
Hur mycket väger en gurka?	Jag vet inte.	
Hur många gurkor köper Tina?	Två.	
Hur ofta handlar du?	Varje dag.	
Hur långt är det till affären?	Det är 800 meter.	
Hur länge har affären öppet?	Från 9 till 21.	

B Svara på frågorna.

1 I vilken affär handlar Tina? ______________________

2 Hur dags handlar hon? ______________________

3 Hur mycket ris köper hon? ______________________

4 Hur mycket kostar ett kilo tomater? ______________________

5 Hur många ägg köper hon? ______________________

6 Hur mycket betalar hon för varorna? ______________________

C Skriv svar om dig själv.

1 Hur dags brukar du vakna? ______________________

2 Hur länge äter du frukost? ______________________

3 Hur ofta går du och handlar? ______________________

4 Hur långt är det till din mataffär? ______________________

7

+ Öva mera i övningsboken, sidan 99–100.

Vid middagsbordet

A Lyssna och läs. 91

Tina har bjudit hem några vänner på middag. Hon har lagat kyckling och serverar ris och sallad till. Alla sitter runt bordet. Tina ställer fram maten.

TINA: Varsågoda!

EBBA: Vad gott det ser ut!

LARS: Ja, verkligen.

...

TINA: Vill du ha mer ris?

LENA: Nej, tack.

TINA: Lite mer kyckling?

LENA: Nej, tack. Det är bra så.

TINA: Jo, men lite mer kyckling ska du väl ha?

LENA: Nej, det är säkert. Det var jättegott, men jag orkar inte mer.

OSKAR: Inte jag heller. Det här var verkligen gott!

Tina har bakat en kaka.
Hon serverar grädde till.

TINA: Vill ni ha kaffe?

EBBA: Ja, tack. Gärna.

LARS: Jag också.

LENA: Nej, tack. Jag kan inte somna om jag dricker kaffe på kvällen.

OSKAR: Inte jag heller. Kan man få te?

TINA: Javisst.

EBBA: Kan du ge mig mjölken?

LENA: Ja, varsågod. Vill du ha socker också?

EBBA: Nej, tack.

NYA ORD

ett middagsbord
bjudit (bjuda)
runt
ställer fram
(ställa fram)

varsågoda
mer
Det är bra så.
jo
väl

jättegott
orkar (orka)
inte ... heller
(en) grädde
somna

B Hur ska man säga? Dra streck till rätt replik.

- ▶ Jag orkar inte mer.
1. Jag kan ta lite kaffe.
2. Jag dricker inte kaffe.
3. Jag vill gärna ha te.
4. Jag tar alltid mjölk i kaffet.
5. Jag dricker aldrig te.

Jag också.

Inte jag heller.

+ Öva mera i övningsboken, sidan 101.

Frukt och grönsaker

A Lyssna och läs. 92

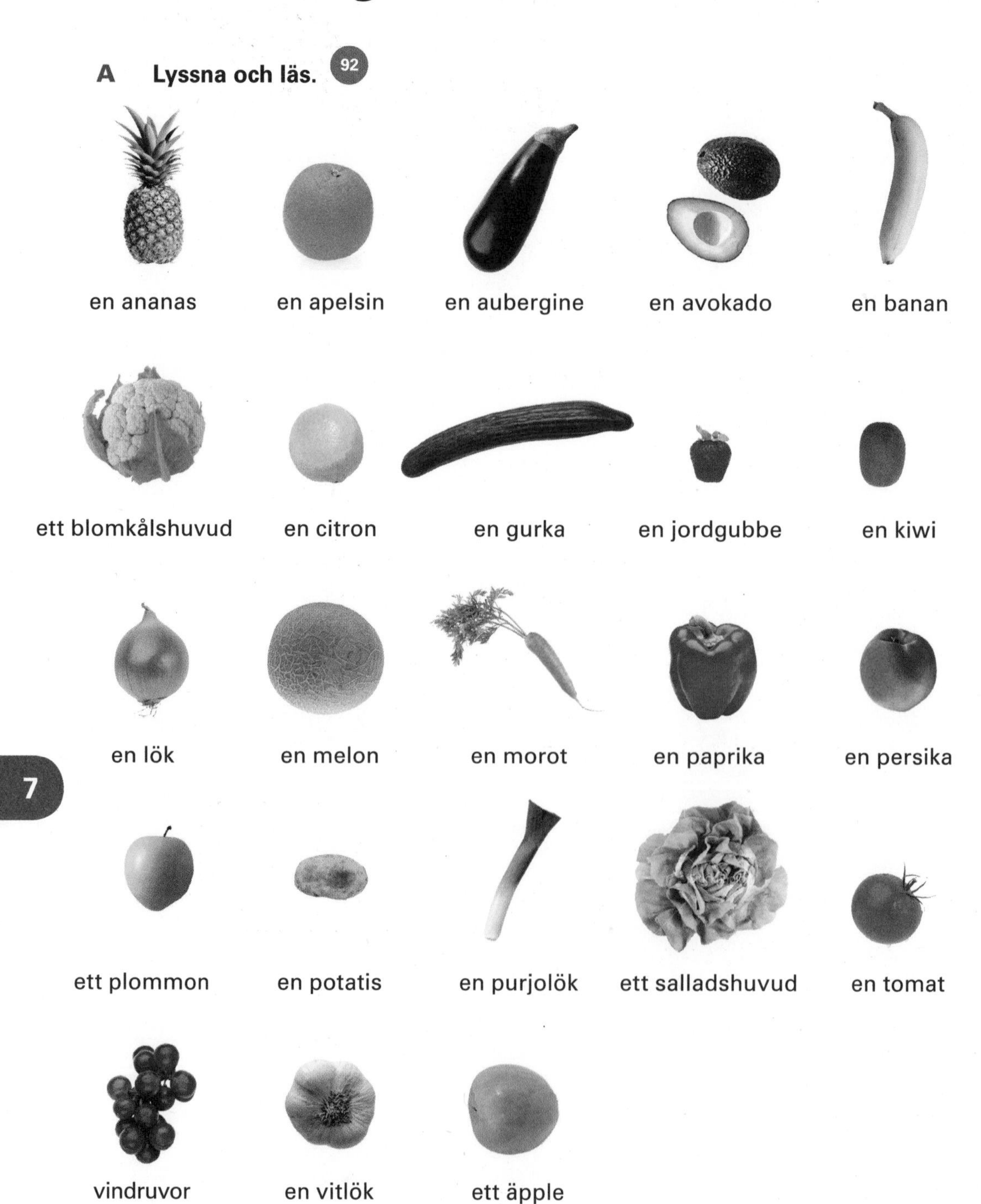

B **Skriv sju frukter och sju grönsaker.**

FRUKTER	GRÖNSAKER
apelsin	aubergine

C **Diskutera.**

Vilket ord ska bort? Varför?

1	ägg	socker	mjölk	tomat
2	ris	socker	mjöl	mjölk
3	smör	gurka	tomat	paprika
4	kaffe	te	mjölk	öl
5	gurka	paprika	apelsin	tomat
6	melon	äpple	apelsin	banan
7	jordgubbe	plommon	tomat	banan
8	ananas	avokado	citron	apelsin

+ Öva mera i övningsboken, sidan 102.

Vi frågar

A **Lyssna och läs.** 

VI FRÅGAR: *Vilken sorts mat tycker du om?*

Ali Hassan, 48 år

Jag äter all sorts mat, men helst mat från mitt hemland. Jag tycker om att laga mat också. Det är mitt jobb. Jag är kock. Men när jag är ledig äter jag min frus mat hemma.

Annika Svensson, 32 år

Jag och min pojkvän brukar åka till Thailand på semester och vi älskar thailändsk mat. Vi brukar hämta mat på en thailändsk restaurang alldeles i närheten av där vi bor.

Anders Lagerberg, 82 år

Jag tycker om sådan mat som vi åt när jag var liten. Svensk husmanskost. Min fru lagade väldigt god mat, men hon dog för tre år sedan. Nu köper jag färdigmat och värmer i mikron.

Isabella Rossi, 15 år

Maten i skolan tycker jag inte så mycket om. Pappas mat är mycket godare. Han lagar ofta italiensk mat. Pasta till exempel. Jag tycker också om att laga mat. Jag lär mig mycket av pappa.

NYA ORD

sorts	en pojkvän	sådan	(en) färdigmat	godare
helst	en semester	(en) husmanskost	värmer (värma)	italiensk
ett hemland	alldeles	dog (dö)	en mikro = en mikrovågsugn	(en) pasta
en kock	i närheten av	för ... sedan		lär mig (lära sig)

7

tycker om + substantiv	**tycker om att + verb** § 9.17
Ali tycker om all sorts mat.	Han tycker om att äta all sorts mat.
Isabella tycker inte om skolans mat.	Hon tycker inte om att äta skolans mat.

B **Vad tycker Olle om? Vad tycker han om att göra?**

▶ Han tycker om kaffe.

▶ Han tycker om att dricka kaffe.

1 Hon tycker om att köra bil.

2 Hon tycker om bilar.

3 Hon tycker om att dansa.

4 Hon tycker om glass.

C **Vad tycker Olle inte om? Vad tycker han inte om att göra?**

▶ Han tycker inte om te.

▶ Han tycker inte om att dricka te.

1 Hon tycker inte om att vara ensam.

2 Hon tycker inte om vitlök.

3 Hon tycker inte om mjölk.

4 Hon tycker inte om att vänta.

D **Diskutera.**

Vilken sorts mat tycker du om? Tycker du om att laga mat?

+ Öva mera i övningsboken, sidan 103.

7

I mataffären

A Lyssna och läs. 

I en mataffär finns det mycket att läsa på förpackningar och skyltar. Du får till exempel veta varifrån maten kommer och du får information om priser och innehåll.

Vid varje vara står hur mycket den kostar. Ofta finns också ett jämförpris. Det är priset per kilo eller liter. Om du tittar på jämförpriset kan du jämföra pris på samma vara i olika förpackningar. Mat i en liten förpackning kostar ofta mer per kilo än mat i en stor förpackning.

TOMATER	Pris/kg	Pris/förp
500 g	11,00	5,50

Den här burken med tomater kostar 5,50. Tomaterna väger 500 gram, alltså ett halvt kilo. Priset per kilo är 11 kronor.

TOMATER	Pris/kg	Pris/förp
400 g	12,50	5,00

Den här burken kostar 5 kronor. Tomaterna väger 400 gram. Priset per kilo är 12,50.

Varje matvara måste ha en innehållsdeklaration. Där kan du läsa vad varan innehåller, alltså vilka ingredienserna är. Så här kan det stå:

Ingredienser: vetemjöl, vatten, jäst, rapsolja, socker, salt

På alla matvaror finns ett bäst-före-datum. Det betyder att varan är fräsch fram till detta datum.

NYA ORD

en förpackning
(en) information
ett pris (plural: priser)
ett innehåll
ett jämförpris
per
jämföra
en burk
ett gram (plural: gram)
alltså
en matvara
en innehållsdeklaration
innehåller
(innehålla)
en ingrediens
(plural: ingredienser)
så här
(ett) vetemjöl
(ett) vatten
(en) jäst
(en) rapsolja
(ett) salt
ett bäst-före-datum
fram till
detta

B **Svara på frågorna.**

VETEMJÖL	Pris/kg	Pris/förp
2 kg	9,45	18,90

Ingredienser:
vetemjöl, socker, mjölk, ägg, smör, choklad, salt

7

1 Hur länge är äggen fräscha? ______________________

2 Hur mycket kostar mjölet? ______________________

3 Hur mycket mjöl är det i förpackningen? ______________________

4 Hur mycket kostar ett kilo mjöl? ______________________

5 Hur många ingredienser är det i kakan? ______________________

+ Öva mera i övningsboken, sidan 104–105.

På kafé

A Lyssna och läs. 

KUNDEN:	Hej, en kopp kaffe och en bulle, tack.
EXPEDITEN:	Ja, tack. Var det bra så?
KUNDEN:	Nej, jag ska ha en stor kaka också.
EXPEDITEN:	Ja, tack, något annat?
KUNDEN:	Nej, tack. Det är bra så.
EXPEDITEN:	Jaha. Det blir 58 kronor då.
KUNDEN:	Varsågod.
EXPEDITEN:	Tack. Här är kvittot och två kronor tillbaka. Mjölk och socker har du här.
KUNDEN:	Tack.

NYA ORD

- ett kafé
- en kund
- en bulle
- en expedit
- jaha
- (en) läsk
- (en) juice
- (en) ost
- (en) skinka

MENY

Kaffe	20 kr	Bulle	18 kr	SMÖRGÅSAR:	
Te	18 kr	Liten kaka	12 kr	Ost	24 kr
Läsk	18 kr	Stor kaka	20 kr	Ost och skinka	26 kr
Juice	20 kr				
Mjölk	16 kr				

B Skriv svar.

1 Vad vill kunden äta? ~~kaffe och~~ en bulle

2 Vad vill kunden dricka? en kopp kaffe

3 Hur mycket ska kunden betala? 58 kronor

4 Varför får kunden två kronor tillbaka? Hon betalar 60 kronor

5 Vad kostar en smörgås med ost? Den kostar 24 kronor

6 Vad kostar mest, en kopp kaffe eller en kopp te? en kopp kaffe

C Lyssna och skriv svar på frågorna. 96

1 Vad vill kvinnan dricka? en kopp te och smörgås

2 Vad vill hon ha på smörgåsen? ost

3 Hur mycket betalar hon? 42

4 Vad vill mannen dricka? ~~Cola~~ kaffe

5 Vad ska han äta? bulle kaka

6 Hur mycket betalar han? 50 kronor

D Diskutera.

Mannen och kvinnan i **C** fikar tillsammans. Var och en betalar för sig. Hur gör man i ditt hemland? Brukar var och en betala för sig eller brukar en betala för båda?

7

+ Öva mera i övningsboken, sidan 106.

Emil och Klara bråkar

A Lyssna och läs. 

Det är lördag morgon. Klockan är halv tio. Jonas och Ellen är och handlar mat. Emil ligger kvar i sängen.

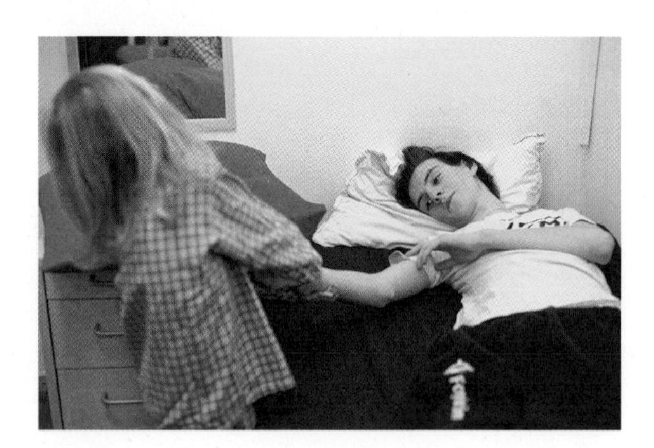

KLARA: Emil! Du måste gå upp!

EMIL: Nej, jag vill sova.

KLARA: Vill du spela kort med mig?

EMIL: Nej, det vill jag inte.

KLARA: Vill du ha glass?

EMIL: Nej!

KLARA: Vill du läsa Pippi Långstrump för mig? Det är bara två kapitel kvar i boken.

EMIL: Nej, jag är trött!

KLARA: Men du kan väl läsa en serietidning för mig då?

EMIL: Sluta! Lägg av nu! Gå och lek med dina leksaker!

KLARA: Du vill aldrig göra någonting med mig! Vad vill du egentligen?

EMIL: Jag vill inte spela kort och jag vill inte ha glass och jag vill absolut inte läsa. Jag vill sova. Gå härifrån och lämna mig i fred!

7

NYA ORD

bråkar (bråka)
kvar
gå upp
spela

ett kort
(plural: kort)
(en) glass
ett kapitel
(plural: kapitel)

en serietidning
lägg av (lägga av)
en leksak
(plural: leksaker)
någonting

egentligen
absolut inte
härifrån
lämna i fred

vill ha + substantiv
Klara vill ha glass.
Emil vill inte ha glass.

vill + verb
Emil vill sova.
Emil vill inte spela kort.

§ 6.3

B **Vad vill Hassan ha? Vad vill han göra? Skriv svar.**

▸ Han vill ha ________ ett hus.

▸ Han vill ________ köpa en ny bil.

1 ________ kaffe.

2 ________ vara ledig.

3 ________ mycket pengar.

4 ________ gå hem.

C **Vad vill Linda inte ha? Vad vill hon inte göra? Skriv svar.**

▸ Hon vill inte ha ________ kaffe.

▸ Hon vill inte ________ köpa hus.

1 ________ titta på teve.

2 ________ glass.

3 ________ te.

4 ________ göra någonting.

D **Öva i par. Fråga och svara.**

1 Vad vill du ha nu?

2 Vad vill du göra nu?

3 Vad vill du inte ha nu?

4 Vad vill du inte göra nu?

+ Öva mera i övningsboken, sidan 107.

Pippi Långstrump

A Lyssna och läs. 

Böckerna om Pippi Långstrump är kända över hela världen. Kanske du har läst någon bok om Pippi på ditt modersmål?

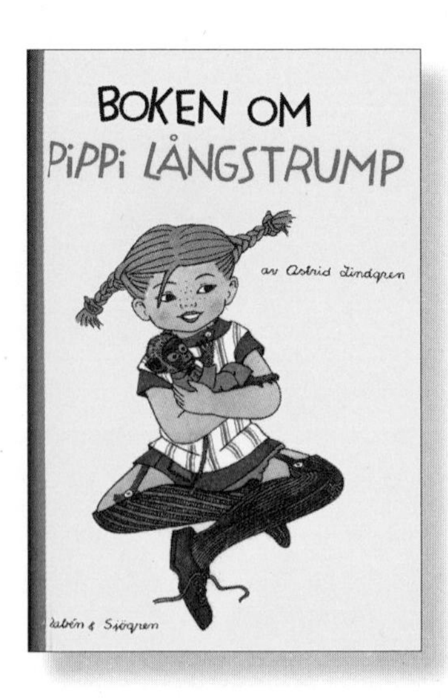

Pippi Långstrump är en flicka som bor utan sina föräldrar i ett hus som kallas Villa Villekulla. Där bor hon tillsammans med sin häst och sin apa. Pippi har en väska full med pengar och hon är världens starkaste flicka.

Pippi är ett speciellt barn. Hon säger emot de vuxna och hon gör som hon själv vill. Och det stämmer inte alltid med hur det brukar vara i samhället.

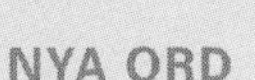

NYA ORD

kända	starkaste (stark)
över	speciellt
en värld	säger emot (säga emot)
ett modersmål	vuxen (plural: vuxna)
utan	stämmer med (stämma med)
kallas	ett samhälle
en häst	
en apa	
full	
pengar	

Pippi Långstrump på andra språk

Arabiska: جنان ذات الجورب الطويل
Engelska: Pippi Longstocking
Finska: Peppi Pitkätossu
Franska: Fifi Brindacier
Kinesiska 长袜子皮皮
Kurdiska: ژێردەوەرۆوگ ییپیپ
Persiska: دنلب باروج یپیپ
Polska: Pippi Pończoszanka
Romani chib: Pippi longo trinfja
Ryska: Пеппи Длинныйчулок
Spanska: Pipi Calzaslargas

(Källa: Wikipedia)

Det är Astrid Lindgren som har skrivit böckerna om Pippi Långstrump. Hon är en av Sveriges mest kända författare. Astrid Lindgren föddes i en by i Småland 1907. När hon blev vuxen och fick egna barn började hon berätta historier för dem. Hon hittade på berättelsen om Pippi som hon senare skrev ner. Den första boken om Pippi kom ut 1945.

Astrid Lindgren har också skrivit böckerna om Emil i Lönneberga, Madicken och Karlsson på taket. Många böcker har blivit film. Astrid Lindgren dog 2002.

NYA ORD

en författare	en historia (plural: historier)	senare	ett tak
föddes (födas)	hitta på	skrev ner (skriva ner)	blivit (bli)
en by	en berättelse	kom ut (komma ut)	

B **Svara på frågorna.**

1 Vem är Pippi Långstrump?

___

2 Vem skrev böckerna om Pippi?

___

C **Diskutera.**

1 Har du läst någon bok av Astrid Lindgren? På vilket språk?

2 Astrid Lindgren är en känd svensk författare. Känner du till några andra svenska författare?

+ Öva mera i övningsboken, sidan 108.

7

En anslagstavla i mataffären

A Lyssna och läs. 99

Till salu!
Billiga kläder för barn.
Storlek 86–92.
Ring Anna på 079–9326891

Köpes!
Ett stort matbord med sex stolar. Gärna runt. Modernt eller gammalt, det spelar ingen roll. Ring 079-7786125 efter kl 16. Liliana

Hjälp!
Har du sett min katt Simba?
Han försvann den 5 juni.
Snälla du, ring mig på 079-1003457
Tilda

Vår son har tyvärr blivit allergisk mot hundar, så Buster behöver ett nytt hem. Är du intresserad? Han älskar barn.
Ring Håkan på 079-3235508 för mer information.

Har du saker hemma som du inte behöver? Skänk dem till vår loppis. Pengarna från loppisen går till fotbollsklubben.
Kontakta oss på fotbollsklubben.loppis@minmejl.se

7

NYA ORD

en anslagstavla
till salu
billiga
en storlek
86–92 = för barn som är mellan 86 och 92 cm långa
köpes (köpa)
modernt
det spelar ingen roll
en katt
försvann (försvinna)
snälla du
tyvärr
allergisk mot
en hund (plural: hundar)
intresserad
skänk (skänka)
en loppis = en loppmarknad
kontakta
en fotbollsklubb

B Sätt kryss för rätt svar.

1 Vad vill Anna sälja?

☐ Billiga kläder. ☐ Ett stort matbord. ☐ Gamla prylar.

2 När kan man ringa till Liliana?

☐ Efter klockan två. ☐ Efter klockan tre. ☐ Efter klockan fyra.

3 Vem är Simba?

☐ Tildas son. ☐ Tildas katt. ☐ Tildas hund.

4 Varför behöver Buster ett nytt hem?

☐ Han är allergisk. ☐ Håkan är allergisk. ☐ Håkans son är allergisk.

5 Hur kan man kontakta loppisen?

☐ Man ringer. ☐ Man mejlar. ☐ Man går dit.

6 Var är Simba?

☐ Hemma hos Tilda. ☐ I affären ☐ Tilda vet inte.

7 Vad vill Liliana göra?

☐ Köpa möbler. ☐ Sälja möbler. ☐ Skänka möbler.

ADJEKTIV

§ 2.7

§ 11.1 – 11.6

EN-ORD	**ETT-ORD**	**PLURAL**
en stor katt	ett stort bord	många stora tröjor
Katten är stor.	Bordet är stort.	Tröjorna är stora.

NÅGRA VANLIGA ADJEKTIV

EN-ORD	**ETT-ORD**	**PLURAL**
stor	stort	stora
billig	billigt	billiga
dålig	dåligt	dåliga
ung	ungt	unga
svår	svårt	svåra
gammal	gammalt	gamla
lätt	lätt	lätta
ny	nytt	nya
rund	runt	runda
bra	bra	bra
liten	litet	små

C **Skriv rätt form.**

▶ Anna säljer ___billiga___ kläder. (billig)

1 Liliana vill köpa ett ________________ matbord. (stor)

2 Det spelar ingen roll om bordet är ________________ (ny)

eller ________________ (gammal).

3 Simba är en ________________ katt. (stor)

4 Halsbandet är ________________ (vit).

5 Matbordet är________________ (rund).

+ Öva mera i övningsboken, sidan 110–111.

7

Uttal

s – sj		s – tj		sj – tj	
sed	sked	sök	kök	skära	tjära
sida	skida	sil	kil	skyla	kyla

---

e i y ä ö = främre vokaler (mjuka)

a o u å = bakre vokaler (hårda)

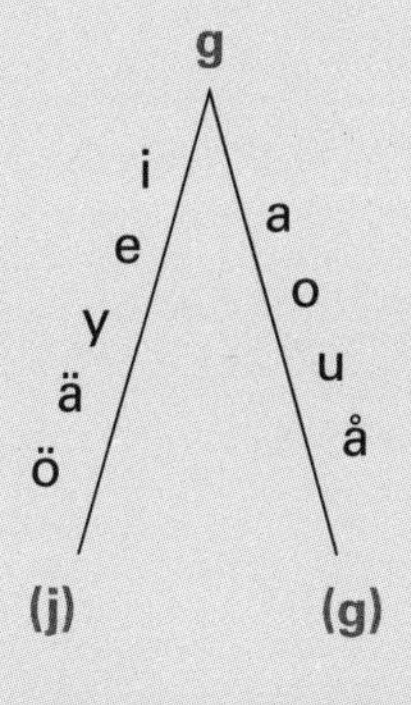

k

(tj) (k)

sk

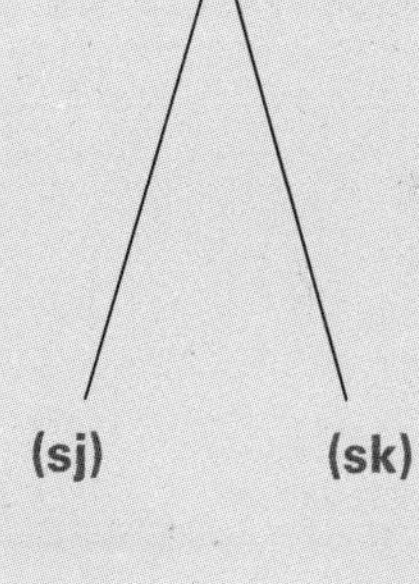

(j)	(g)	(tj)	(k)	(sj)	(sk)
giva	gata	kika	kaka	skina	skala
ger	god	kela	koka	skena	skola
gynna	gul	kyla	kula	skynda	skura
gärna	gåva	kära	kål	skära	skåla
göra		köra		skön	

OBS!			
	jaga	tjata	sjal
	jord	tjock	sju
	jul	tjur	sjå

Handla mat

Var är de?

Vad köper de?

Skulle det kunna vara i ditt hemland? Varför? Varför inte?

Var handlar du mat?

+ Öva mera i övningsboken, sidan 112.

8

Ett meddelande till Emil

A Lyssna och läs. 

Emil är 17 år och går på gymnasiet. Han har en lillasyster som är 5 år och går på dagis.

En dag när Emil sitter med några kompisar och äter lunch i skolan får han ett sms från sin mamma Ellen.

Meddelanden
Mamma
Ändra
Jag måste till mormor efter jobbet. Kan du hjälpa mig? Hämta Klara senast 16.30. Köp 2 l mjölk på vägen hem. Och förbered middagen! Mamma
Skicka

Emil läser meddelandet. Han suckar och visar meddelandet för sina kompisar. "Titta! Vad jobbigt! Måste ni också hjälpa till så här mycket hemma?" frågar han.

B Diskutera.

1 Vad tror ni Emils kompisar svarar?

2 Vad tror du Emil gör?

NYA ORD

ett meddelande
en lillasyster
ett dagis
en kompis
senast
förbered (förbereda)
suckar (sucka)
visar (visa)
jobbigt

Köp mjölk.	Köp **inte** mjölk.
Titta i boken.	Titta **inte** i boken.
Skriv här, är du snäll.	Skriv **inte** här, är du snäll.

§ 6.4
§ 6.5

Ibland använder man utropstecken:
Köp mjölk!
Köp inte mjölk!

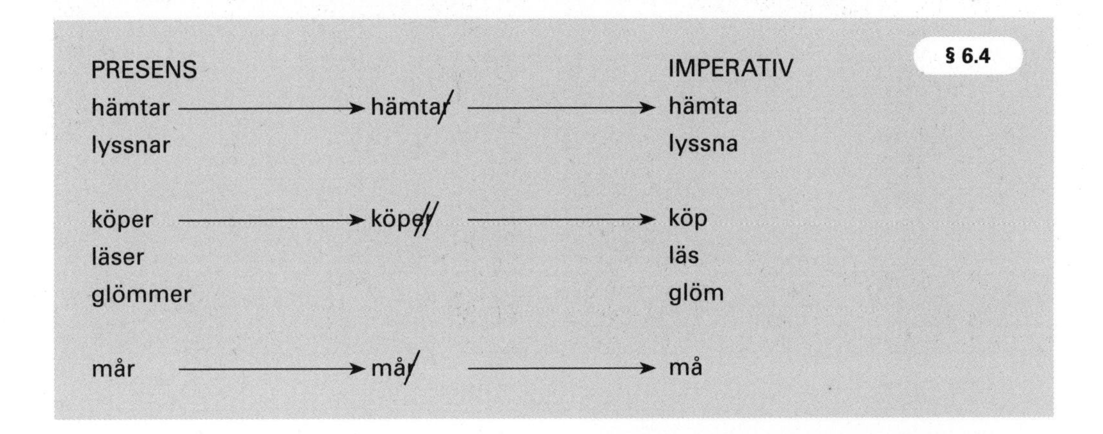

§ 6.4
PRESENS
IMPERATIV
hämtar
hämtar
hämta
lyssnar
lyssna
köper
köper
köp
läser
läs
glömmer
glöm
mår
mår
må

C **Skriv verben i imperativ. Använd stor bokstav!**

PRESENS	IMPERATIV
är	var
gör	gör
har	ha
går	gå
blir	bli
tar	ta
skriver	skriv

§ 6.4

▸ *Titta* på mig! (tittar)

1 __________ på mig! (lyssnar)

2 __________ svenska! (talar)

3 __________ för mig! (läser)

4 __________ mig, är du snäll. (hjälper)

5 __________ inte ledsen. (är)

6 __________ det så bra! (har)

+ Öva mera i övningsboken, sidan 113.

8

D **Lyssna.** 102

Du får höra tre olika telefonmeddelanden. Vilka bilder passar ihop med meddelandena? Skriv numret på meddelandet vid rätt bild. En bild blir över.

☐

☐

☐

☐

+ Öva mera i övningsboken, sidan 114–115.

Uttal

103

p – sp

pilla spilla

park spark

t – st

tag stag

tig stig

k – sk

kal skal

kål skål

---

r – kr – skr

rock krock skrock

r – tr – str

råd tråd strå

r – pr – spr

ruta pruta spruta

-ng

tung

ring

sängar

fångar

mangla

-nk

lunk

rink

länkar

kånkar

tankar

8

Emil har lagat mat

A **Lyssna och läs.** 104

Klockan är kvart över sex på kvällen. Emil har hämtat sin lillasyster Klara på dagis. Han har värmt köttbullar och kokat pasta. De har gjort sallad och de har dukat. Nu väntar de på Ellen och Jonas.

De hör någon som öppnar dörren.

ELLEN: Hej, hej. Nu är jag hemma! Vad bra att du har fixat maten!

KLARA: Jag har hjälpt till. Jag har dukat.

ELLEN: Vad duktiga ni är!

EMIL: Jag har gjort en sallad också.

ELLEN: Vad bra. Jag är jättehungrig. Var är Jonas?

EMIL: Han har inte kommit än.

ELLEN: Vi börjar äta. Han kommer nog snart.

EMIL: Hur var det med mormor?

ELLEN: Bara bra. Hon hälsar till er. Är du snäll och tar fram mjölken?

EMIL: Oj då. Det finns ingen mjölk.

ELLEN: Har du inte köpt det?

EMIL: Det har jag glömt. Jag kan messa Jonas och be honom göra det.

ELLEN: Bra idé. Gör det!

NYA ORD

en köttbulle	en dörr	duktiga	be
(plural: köttbullar)	fixat (fixa)	jättehungrig	en idé
dukat (duka)	hjälpt till	glömt (glömma)	
hör (höra)	(hjälpa till)	messa	

B Svara på frågorna. Skriv ja eller nej.

1 Har Emil hämtat Klara? ________

2 Har han kokat pasta? ________

3 Har han värmt köttbullar? ________

4 Har Emil dukat? ________

5 Har Jonas kommit hem? ________

6 Har Emil köpt mjölk? ________

§ 9.5

IMPERATIV		SUPINUM
hämta	+t	hämtat
lyssna		lyssnat
köp	+t	köpt
läs		läst
glöm		glömt
må	+tt	mått

har + supinum = perfekt: Jag **har läst**.

§ 9.5

IMPERATIV	SUPINUM
var	varit
gör	gjort
ha	haft
gå	gått
bli	blivit
ta	tagit
skriv	skrivit

8

C Skriv supinum av verben.

IMPERATIV	SUPINUM	IMPERATIV	SUPINUM
spela	___	stäng	___
öppna	___	häng	___
arbeta	___	köp	___
träffa	___	ring	___
titta	___	tro	___

D Skriv perfekt (har + supinum).

▶ Vänta en minut!

Jag har redan väntat en minut.

1 Öppna fönstret!

___

2 Fråga henne!

___

3 Svara på frågan!

___

4 Läs tidningen!

___

5 Stäng fönstret!

___

8

+ Öva mera i övningsboken, sidan 116.

Betoning

en telef<u>o</u>n + ett nu<u>mm</u>er = ett telef<u>o</u>nnu<u>mm</u>er

Lyssna, markera, läs.

en bok	+	en hylla	=	en bokhylla
en dans	+	en träning	=	en dansträning
en grupp	+	ett arbete	=	ett grupparbete
en hals	+	en duk	=	en halsduk
en klass	+	ett rum	=	ett klassrum
(en) mat	+	en affär	=	en mataffär
en mobil	+	ett nummer	=	ett mobilnummer
en person	+	ett nummer	=	ett personnummer
en pojke	+	ett namn	=	ett pojknamn
(en) reklam	+	en film	=	en reklamfilm
en sport	+	en hall	=	en sporthall
en soffa	+	ett bord	=	ett soffbord
en taxi	+	en chaufför	=	en taxichaufför
(en) trafik	+	ett ljus	=	ett trafikljus
en väg	+	ett märke	=	ett vägmärke
(en) värk	+	en tablett	=	en värktablett
grön	+	en sak	=	en grönsak
halv	+	en timme	=	en halvtimme
fika	+	en rast	=	en fikarast
köra	+	ett kort	=	ett körkort
sova	+	ett rum	=	ett sovrum
tvätta	+	en maskin	=	en tvättmaskin

Kommer du på festen?

A Lyssna och läs. 

Hanna är 17 år. Hon går i samma klass som Emil Åberg. Emil och Hanna är kompisar och träffas ofta efter skolan. De gillar varandra.

En dag när Hanna är på väg hem från skolan kommer en tjej fram till henne. Det är Tove, som går i en annan klass.

TOVE: Hanna, jag ska ha fest på lördag. Jag fyller år då. Vill du komma?

HANNA: Jag vet inte.

TOVE: Arvid kommer också och han vill att du ska komma. Han är intresserad av dig.

HANNA: Vilken Arvid? Menar du Arvid i din klass?

TOVE: Nej, han som går i trean.

HANNA: Vem är det? Hur ser han ut?

TOVE: Han är lång och har ljust, kort hår. Ganska smal. Han har en ring i örat.

HANNA: Jaså, han. Är Emil bjuden?

TOVE: Vilken Emil? Vem är det?

HANNA: Emil Åberg. Han går i samma klass som jag.

TOVE: Hur ser han ut?

HANNA: Ganska lång och smal. Mörkt hår och bruna ögon. De flesta tycker att han är snygg.

TOVE: Brukar han ha svart skinnjacka?

HANNA: Ja.

TOVE: Då vet jag vem det är. Ja, han är söt. Är du ihop med honom?

HANNA: Nej, vi är bara kompisar.

TOVE: Jaha. Nej, han är inte bjuden, men du kan väl komma i alla fall.

HANNA: Nej, tack, jag tror inte det. Men grattis på födelsedagen. Hoppas ni får kul på festen. Hej då!

TOVE: Hej! Vi ses!

NYA ORD:

en fest	annan	ljust	en ring	söt
varandra	en klass	ett hår	snygg	i alla fall
en tjej	trean	smal	en skinnjacka	

B **Vem av killarna är Arvid?**

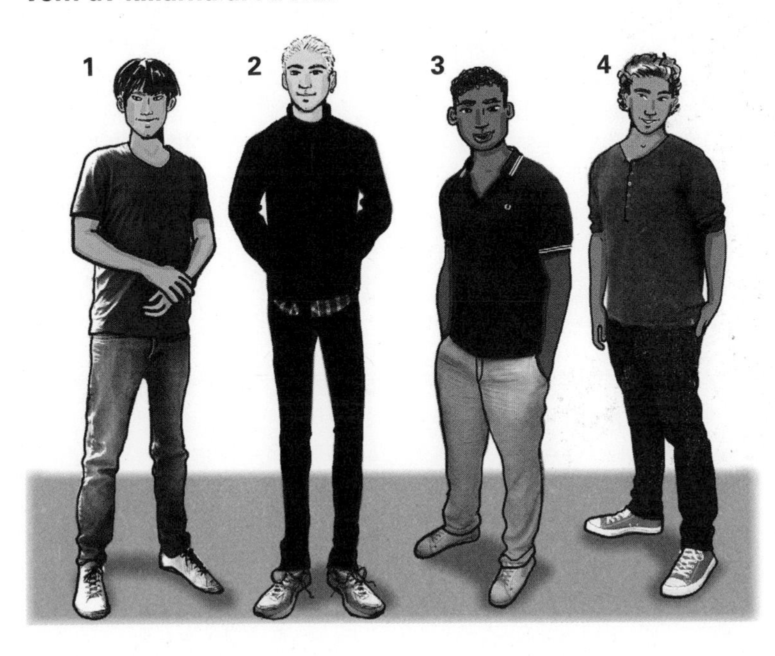

Arvid är kille nummer: _____

C **Diskutera.** 

Hanna vill inte gå på Toves fest. Kan man tacka nej till en inbjudan? Vad säger man?

+ Öva mera i övningsboken, sidan 117–118.

8

Hur ser han ut?

A Lyssna och läs. 

Emil är ganska lång och smal. Hans ansikte är ovalt och ganska smalt. Han har mörkt, kort hår och bruna ögon. De flesta i Emils klass tycker att Emil är snygg.

LÄNGD	KROPP	ANSIKTE	HÅR
lång	smal	runt	långt
kort	tjock	fyrkantigt	kort
av medellängd	kraftig	ovalt	lockigt
omkring 170 cm lång	mager	smalt	rakt
			mörkt
			brunt
			ljust

B Skriv om Klara. Hur ser hon ut?

C Skriv om dig själv. Hur ser du ut?

8

+ Öva mera i övningsboken, sidan 119.

Hurdan är han?

A Lyssna och läs. 

Så här säger Hanna:
Emil är jättetrevlig. Han är schysst mot alla.
Och han är nästan alltid glad.

Så här säger en lärare:
Emil är en trevlig kille, populär bland kamraterna. Han är hjälpsam och förklarar svåra saker för kamrater som inte förstår. Men ibland är han lite för pratsam på lektionerna.

NYA ORD

hurdan	glad	bland	förklarar
jättetrevlig	en kille	en kamrat	(förklara)
schysst	populär	hjälpsam	pratsam

B Skriv om Hanna. Hurdan är hon, tror du? Använd orden i rutan.

duktig	trevlig	rolig	nyfiken	generös
klok	otrevlig	tråkig	populär	snål
hjälpsam	schysst	självsäker	tystlåten	
lat	lugn	blyg	pratsam	

____

____

____

____

____

C **Skriv om dig själv. Hurdan är du?**

Jag

____

____

____

____

____

Motsatsen till **stor** är **liten**.
Motsatsen till **glad** är **ledsen**.

D **Skriv motsatser. Välj bland orden i rutan.**

1 mörk ≠ ____________

2 lång ≠ ____________

3 smal ≠ ____________

4 ung ≠ ____________

5 gammal ≠ ____________

6 rolig ≠ ____________

7 varm ≠ ____________

8 snål ≠ ____________

9 glad ≠ ____________

tjock generös
gammal
ny kall
ljus
kort tråkig
ledsen

8

+ Öva mera i övningsboken, sidan 120.

Skolan i Sverige

Universitet/Högskola
Arbete
årskurs (åk) 3
årskurs (åk) 2
Gymnasiet
årskurs (åk) 1
årskurs (åk) 9
årskurs (åk) 8
årskurs (åk) 7
årskurs (åk) 6
årskurs (åk) 5
årskurs (åk) 4
årskurs (åk) 3
årskurs (åk) 2
Grundskolan
årskurs (åk) 1
Förskoleklass

A Lyssna och läs. 109

Alla barn i Sverige måste gå i grundskolan. Där går man i nio år. Men först går de flesta ett år i förskoleklass (FK). Där börjar man när man är fem eller sex år.

Det år man fyller sju börjar man i grundskolan. De första åren i skolan har man samma lärare i nästan alla ämnen. Från årskurs 6 eller 7, när barnen är 12 eller 13 år gamla, har de olika lärare i olika ämnen.

Efter grundskolan går de flesta elever vidare till gymnasiet. Efter tre år i gymnasiet kan man studera på universitet eller börja arbeta.

Det kostar ingenting att gå i skolan i Sverige, varken i grundskolan eller gymnasiet. Föräldrarna behöver inte köpa några skolböcker utan skolan lånar ut böcker gratis till eleverna. Barnen får lunch i skolan.

NYA ORD

en grundskola	vidare	en skolbok (plural: skolböcker)	lånar ut (låna ut)
en förskoleklass	ingenting		gratis
en årskurs	varken ... eller	utan	

8

B Diskutera.

1 Måste alla barn gå i skolan i ditt hemland? Hur länge?

2 Kostar det något att gå i skolan i ditt hemland?

3 Hur gamla är barnen när de börjar i skolan i ditt hemland?

4 Hur många år går man i gymnasiet i ditt hemland?

+ Öva mera i övningsboken, sidan 121.

Veckobrev från förskolan

A **Lyssna och läs.** 

Klara Åberg är 5 år och går i förskolan. Till hösten ska hon börja i förskoleklass. Varje vecka får alla föräldrar ett brev från förskolan.

Veckobrev från Pärlans förskola Vecka 17

Hej!
Vilket härligt väder vi har! Barnen leker ute varje dag.

På tisdag förmiddag i nästa vecka går vi med alla femåringarna till Fridtunaskolan och besöker förskoleklassen. Barnen får träffa sin blivande lärare. Hon heter Hanna Hansson. Barnen kommer också att få äta i matsalen på skolan.

På torsdag går vi ut i skogen. Titta i barnens klädlådor så att det finns ombyte om det skulle behövas.

På fredag kommer Helens mormor på besök. Hon ska berätta för oss om hur det var när hon var liten.

Trevlig helg!
önskar Daniel, Helen, Mina och Tanja

NYA ORD
ett veckobrev
till hösten
en pärla
leker (leka)
en femåring
(plural: femåringar)
besöker (besöka)
en matsal
en klädlåda
(plural: klädlådor)
ett ombyte
behövas
ett besök
önskar (önska)

8

B **Skriv svar.**

1 Vad heter Klaras förskola? ____________________

2 Vilken årstid är det? Hur vet du det? ____________________

____

+ Öva mera i övningsboken, sidan 121.

Jan ringer till skolan

A **Lyssna och läs.** 

Jan Olsson är pappa till Anton. Anton går i Centralskolan. Hans lärare heter Per Malmgård.

KARIN: Centralskolan. Karin Larsson.

JAN: Hej! Jag heter Jan Olsson. Kan jag få tala med Per Malmgård?

KARIN: Han har lektion just nu. Är det något jag kan hjälpa till med?

JAN: Det gäller min son, Anton. Han behöver vara ledig på fredag i nästa vecka.

KARIN: Då måste du tala med Per. Försök igen lite senare i dag. Eller mejla honom. Har du hans mejladress?

JAN: Ja, det har jag. Tack då.

KARIN: Tack, tack.

Jan mejlar till Per Malmgård.

Från: jan.olsson@minmejl.se
Till: per.malmgard@smastad.se
Ämne: ledighet

Hej!
Jag är pappa till Anton Olsson i klass 5C. Han har fått en tid på sjukhuset på fredag i nästa vecka och skulle behöva vara ledig från skolan på eftermiddagen. Hoppas att det går bra.
Hälsningar
Jan Olsson

NYA ORD

en mejladress
en ledighet
en tid
ett sjukhus
ett sjukhus
en hälsning
(plural: hälsningar)

B Skriv svar.

1 Vem är Per Malmgård?

____

2 Varför vill Jan tala med Per Malmgård?

____

3 Varför får Jan inte tala med Per?

____

4 Varför behöver Anton vara ledig?

____

C Diskutera.

1 Jans son Anton måste vara ledig från skolan. Tror du han får ta ledigt?

2 När får en elev vara ledig från skolan?

D Lyssna. Sätt kryss för rätt svar. 112

1 Vem är Ann?

☐ en mamma ☐ en lärare ☐ en man

2 Varför får Ann inte tala med Lena Bergman?

☐ Lena har lektion. ☐ Lena är på lunch. ☐ Lena är inte i skolan.

3 Vad heter Ann i efternamn?

☐ Lundin ☐ Lundberg ☐ Lundström

4 Vem är Maria?

☐ en lärare ☐ en flicka ☐ en mamma

5 Vad ska Erik meddela Lena Bergman?

☐ Ann ska ringa igen. ☐ Lena ska ringa till Ann.

☐ Lena ska komma tillbaka.

+ Öva mera i övningsboken, sidan 122.

I skolan

I vilket land är bilderna tagna?

Hur ser det ut i skolorna i ditt hemland?

3

4

8

+ Öva mera i övningsboken, sidan 123–124.

9

Hassan skriver ett brev

A **Lyssna och läs.** 

Hassan ser i tidningen att Birgitta Öström fyller 70 år. Birgitta var en av Hassans lärare i gymnasiet. Hon var en bra lärare och det var hon som fick Hassan att välja att själv bli lärare. Nu letar han upp Birgittas adress på internet och skriver ett brev.

Birgitta Öström, 70 år

Den 3 maj fyller Birgitta Öström 70 år. Födelsedagen firar hon hemma med familj och vänner.

Birgitta är född i Göteborg. Under yrkeslivet arbetade hon som lärare bland annat på Söderskolan. Hon var omtyckt av både personal och elever. Nu ägnar hon sig åt att läsa böcker, gå promenader och träffa vänner. Hon försöker också vara tillsammans med sina barn och barnbarn så ofta som möjligt.

Birgitta har alltid varit intresserad av att resa och har besökt många platser över hela världen. Förra året var hon i Vietnam. Det var ett land som gjorde stort intryck på Birgitta. "Dit vill jag gärna åka igen", säger hon.

NYA ORD

ett brev
fick (få)
letar upp (leta upp)
firar (fira)
ett yrkesliv
bland annat
omtyckt
(en) personal
ägnar sig (ägna sig) åt
en promenad (plural: promenader)
så ofta som
möjligt
resa
en plats
gjorde (göra)
ett intryck

114

Småstad 2 maj

Hej Birgitta!

Jag vet inte om du minns mig, men jag var din elev på Söderskolan för över tio år sedan. Nu är jag 28 år och själv lärare. Jag läste i tidningen att du fyller 70. Ett stort grattis på födelsedagen!

Vet du att det var du som inspirerade mig att bli lärare? Du är den bästa lärare jag har haft. Vi kände alltid att du ville hjälpa oss och du förklarade så bra så att alla förstod. Du var rättvis och du fick oss att tycka om både samhällskunskap och historia.

Jag började läsa till lärare direkt efter gymnasiet och när jag var klar med mina studier fick jag jobb på en skola i Stockholm. Jag träffade en tjej, Linda, och vi flyttade ihop ganska snabbt. Vi bodde i Stockholm i ett år, men nu bor vi i Småstad. Linda började studera här och jag följde med henne hit och fick jobb på ett gymnasium. Jag trivs med att undervisa och försöker vara en bra lärare. Jag önskar att mina elever kommer att minnas mig så som jag minns dig.

Linda och jag väntar barn. Barnet ska komma vilken dag som helst. Det är spännande och nervöst. Tänk att jag ska bli pappa!

Nu önskar jag dig en trevlig födelsedag!

Hälsningar

Hassan Scali

mobil: 0796583921

NYA ORD

minns (minnas)
inspirerade (inspirera)
bästa
kände (känna)
förstod (förstå)
rättvis
(en) samhällskunskap
(en) historia
läsa till
klar
studier
flyttade ihop (flytta ihop)
snabbt
följde med (följa med)
undervisa
vänta barn
vilken dag som helst
nervöst

9

IMPERATIV		PRETERITUM
tala	+ de	talade
titta		tittade
ring	+ de	ringde
stäng		
tän**k**	+ te	tänkte
kö**p**		köpte
mö**t**		mötte
lä**s**		läste
bo	+ dde	bodde
må		mådde

§ 9.7

Imperativ som slutar på **k**, **p**, **t** eller **s** får **te** .

B Skriv verben i preteritum.

IMPERATIV	PRETERITUM
1 träffa	______________
2 fråga	______________
3 sluta	______________
4 stäng	______________
5 följ	______________
6 häng	______________
7 försök	______________
8 hjälp	______________
9 tro	______________

9

IMPERATIV	PRETERITUM
var	var
bli	blev
gå	gick
ha	hade
gör	gjorde
säg	sa
sätt	satte
sov	sov

C I Hassans brev på sidan 201 finns många verb i preteritum. Skriv alla du hittar.

PRETERITUM

______________________ ______________________

______________________ ______________________

______________________ ______________________

______________________ ______________________

______________________ ______________________

______________________ ______________________

9

+ Öva mera i övningsboken, sidan 125–129.

Vi frågar

A **Lyssna och läs.** 115

VI FRÅGAR:

Vad gjorde du innan du kom till Sverige?

Dalita, 41 år

Jag var lärare på en skola i Damaskus. Jag trivdes bra där. Jag hade många trevliga arbetskamrater och elever. Men förra året slutade jag där och flyttade hit till Sverige.

Joseph, 32 år

Jag hade en klädaffär. Jag ärvde den av min pappa och hade den i många år. Men när det blev oroligt i mitt land sålde jag affären. Jag vågade inte stanna i landet så jag och hela familjen flydde.

Robert, 25 år

Jag studerade i London. Och för två år sedan träffade jag en svensk tjej. Vi bestämde oss för att flytta till Sverige när jag blev klar med mina studier. Förra året flyttade vi hit.

Sandy, 15 år

Jag gick i skolan. På fritiden spelade jag fotboll. Vi tränade tre gånger i veckan. Men sedan träffade mamma en svensk man och vi flyttade till Sverige. Jag saknar mina kompisar och mitt fotbollslag.

NYA ORD

en arbetskamrat
en klädaffär
ärvde (ärva)
oroligt
sålde (sälja)
en affär
vågade (våga)
stanna
flydde (fly)
tre gånger i veckan
ett fotbollslag

VAD GJORDE DU?
(PRETERITUM)

§ 9.1

då
för tio minuter sedan
i morse
i går kväll
i förrgår
i fredags
förra veckan
förra månaden
för några månader sedan
förra året
för tio år sedan

B Öva i par. Fråga och svara.

1 Vad gjorde Dalita innan hon flyttade till Sverige?
2 Varför flyttade Joseph till Sverige?
3 När kom Robert till Sverige?
4 Vad gjorde Sandy innan hon kom till Sverige?

C Diskutera.

1 Från vilket land tror du att Joseph kommer? Varför tror du det?
2 Från vilket land tror du Sandy kommer? Varför tror du det?
3 Hur tror du att Robert träffade sin tjej?

+ Öva mera i övningsboken, sidan 130.

Det blev en pojke!

A Lyssna och läs. 

Tina och Ellen är grannar på Granvägen 4. Hassan och Linda bor i samma hus. En dag möter Tina Ellen på gården utanför huset.

TINA: Vet du om Linda har fått barn än?

ELLEN: Ja, hon fick en pojke i fredags.

TINA: Oh, vad kul! Har de kommit hem?

ELLEN: Ja, de kom i går.

TINA: Har du träffat dem? Har du sett babyn?

ELLEN: Bara en bild.
Hassan skickade den från sjukhuset.
Titta! Visst är han söt?

TINA: Oh, vad gullig. Vad ska han heta?

ELLEN: Viktor.

TINA: Precis som mitt barnbarn.

ELLEN: Ja. Hur gammal är han nu?

TINA: Fyra. Hans syster Moa är två.

ELLEN: Oj, vad tiden går.

TINA: Ja, de växer fort. Det är tråkigt att jag inte kan träffa dem så ofta.
De bor ju i Danmark.

ELLEN: Men du åker väl och hälsar på dem ibland?

TINA: Jadå. Jag var där i vintras. Och i sommar kommer de hit.
Jag längtar verkligen efter dem.

ELLEN: Olas fru är danska, eller hur?

NYA ORD

möter (möta)	gullig	ju	längtar efter (längta efter)
i fredags	precis	hälsar på (hälsa på)	en danska
en baby	ett barnbarn	jadå (= ja då)	eller hur
visst	fort	i vintras	

TINA: Ja. Hon är väldigt trevlig. Jag har verkligen tur som har fått en sådan gullig svärdotter. Hon är en bra mamma också. Jag är så glad att Viktor och Moa har två föräldrar. Ola hade ju bara mig. Olas pappa dog ju innan han föddes. Så barnen har ingen farfar.

ELLEN: Det måste ha varit jobbigt för dig att vara ensam med honom.

TINA: Ja, men det gick bra. Jag hade ju mina föräldrar. De bodde alldeles i närheten och min pappa blev som en pappa för Ola också.

NYA ORD

en tur

en svärdotter

B Skriv preteritumformerna. Du hittar alla i texten.

PRESENS	PRETERITUM
kommer	______________
får	______________
skickar	______________
är	______________
har	______________
dör	______________
föds	______________
går	______________
bor	______________
blir	______________

9

§ 9.1

VAD GJORDE DU? (PRETERITUM)	VAD HAR DU GJORT? (PERFEKT)
då	
för tio minuter sedan	nu
i morse	
i går kväll	i dag
i förrgår	
i fredags	
förra veckan	den här veckan
förra månaden	den här månaden
för några månader sedan	
förra året	i år
för tio år sedan	

C Fyll i preteritum.

▶ I fredags fick ___fick___ Hassan och Linda en pojke. (få)

1 De ______________ hem i går. (kom)

2 Hassan ______________ en bild till Ellen. (skicka)

3 Ellen ______________ en bild på babyn i fredags. (se)

4 Tina ______________ barnbarnen i vintras. (träffa)

5 Ola ______________ bara Tina när han var liten. (ha)

6 Hans pappa ______________ innan Ola föddes. (dö)

7 Tinas föräldrar ______________ i närheten. (bo)

8 Olas morfar ______________ som en pappa för Ola. (bli)

D **Fyll i perfekt.**

▶ Hassan och Linda ___har bott___ ihop i tre år. (bo)

1 Hassan ________________ här i några månader nu. (arbeta)

2 Linda ________________ på universitetet i ett år. (studera)

3 Linda ________________ hemma i fyra dagar. (var)

4 Hon ________________ mycket i dag. (vila)

5 Hassan och Linda ________________ ett foto av Viktor till alla kompisar. (skicka)

6 Många kompisar ________________ och sagt grattis. (ring)

E **Fyll i preteritum eller perfekt.**

▶ I förra veckan ___fick___ Hassan och Linda en son. (få)

1 Hassan ________________ hemma med Linda och Viktor den här veckan. (var)

2 Linda ________________ till Ellen för en timme sedan. (ring)

3 ”Jag ________________ mamma nu”, sa Linda. (bli)

4 ”Vi ________________ hem i söndags. (kom)

5 Jag ________________ den här veckan.” (vila)

6 Då ________________ Ellen om hon och Klara fick komma och titta på Viktor. (fråga)

9

+ Öva mera i övningsboken, sidan 131–132.

Klara ramlar

A **Lyssna och läs.** 

Klara är fem år och går i förskolan.

I dag är Klaras förskola på utflykt i skogen med Kattis och Malin, två i personalen. Klara och de andra barnen har regnkläder på sig, eftersom det regnar och är blött överallt.

Klara klättrar upp på en stor sten, fastän hon vet att hon inte får det. Stenen är hal, eftersom den har blivit blöt av regnet. Plötsligt halkar hon. Hon ramlar ner och slår huvudet i marken. Det gör väldigt ont och börjar blöda. Klara skriker. Kattis springer fram till henne. Hon ser att det blöder från höger ögonbryn. Hon tar fram ett stort plåster och sätter det över såret. Klara slutar inte skrika och gråta trots att Kattis håller om henne och försöker trösta henne.

Malin ringer till Klaras mamma på jobbet, och Ellen skyndar sig till dagis. När hon kommer dit är Klara och Malin redan där.

När Klara får se Ellen slutar hon gråta. Ellen kramar Klara och tittar på såret.

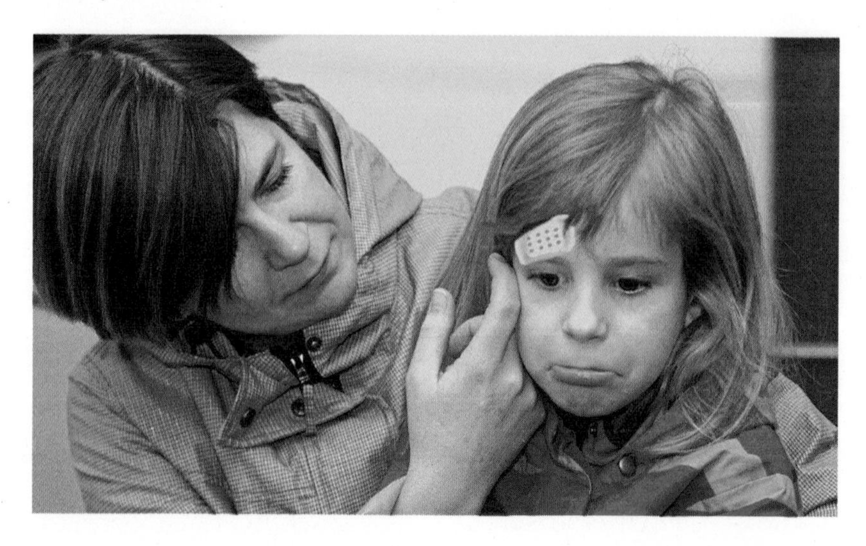

9

"Vi måste åka till vårdcentralen och be doktorn titta på såret", säger hon. Men Klara vill inte. Hon vill bara åka hem.

"Nu åker vi till doktorn", säger Ellen. "Sedan åker vi hem och hälsar på lilla Viktor. Jag frågade Linda i morse och hon sa att det passade bra."

NYA ORD

ramlar (ramla)	hal	blöda	håller om
en utflykt	plötsligt	skriker (skrika)	(hålla om)
regnkläder	halkar (halka)	ett ögonbryn	trösta
eftersom	ramlar ner	ett plåster	skyndar sig
blöt, blött, blöta	(ramla ner)	sätter (sätta)	(skynda sig)
klättrar upp	ner	ett sår	redan
(klättra upp)	slår (slå)	gråta	kramar (krama)
en sten	(en) mark	trots att	en doktor
fastän	gör ont (göra ont)		passade (passa)

HUVUDSATS	BISATS	
		§ 7.1
Klara slutar gråta	**när** hon ser Ellen.	§ 7.2
De åker till vårdcentralen	**innan** de åker hem.	§ 7.3
Klara får hälsa på Viktor	**om** hon vill.	§ 7.4

B Gör meningar. Dra streck.

1	Klara slår huvudet i marken	innan Ola föddes.
2	Emil suckade	när Ellen kommer dit.
3	Hanna vill gå på Toves fest	när han läste Ellens meddelande.
4	Olas pappa dog	om Emil också är bjuden.
5	Klara och Malin är på dagis	när hon ramlar.

HUVUDSATS	BISATS
De har regnkläder på sig	**eftersom** det regnar.
Klara skriker mycket	**därför att** det gör ont.
Klara klättrar upp på stenen	**fastän** hon inte får.
Klara gråter	**trots att** Kattis kramar henne.

§ 7.1
§ 7.2
§ 7.3
§ 7.4

C Gör meningar. Dra streck.

1 Tina måste gå och handla	därför att det regnade.
2 Emil hjälper till hemma	eftersom hennes mamma träffade en svensk man.
3 Tina träffar inte barnbarnen så ofta	eftersom jag inte gillar att titta på film.
4 Sandy flyttade till Sverige	trots att de är trötta.
5 Jonas och Hassan tränar direkt efter jobbet	därför att de bor i Danmark.
6 Jag går aldrig på bio	eftersom hon ska ha vänner på middag.
7 Vi stannade inne hela dagen	trots att du är sjuk?
8 Går du till skolan	fastän han inte tycker det är roligt.

9

+ Öva mera i övningsboken, sidan 133.

Betoning

118

Betoning i nekade satser

Han vet inte.

Han vill inte svara.

Han svarar inte.

A Lyssna, markera, läs.

1 Jag kan inte.
Jag vill inte.
Jag vet inte.
Jag förstår inte.

2 Han är inte svensk.
Han är inte hemma.
Han är inte här.
Han är inte gift.

3 Hon kommer inte.
Hon svarar inte.
Hon jobbar inte.
Hon röker inte.

4 Kan du inte komma?
Ska du inte äta?
Kan du inte sova?
Vill du inte ringa?
Ska du inte sluta?

Betoning i nekade svarssatser

Vill ni gå hem? Nej, inte än.

B Lyssna, markera, läs.

Är ni hungriga?	Nej, inte jag.
Ska vi gå på bio?	Nej, inte i kväll.
Kan du diska?	Nej, inte nu.
Ska du jobba?	Nej, inte i dag.
Vill du diskutera det?	Nej, inte här.

För hundra år sedan

A Lyssna och läs. 119

I början av 1900-talet hade Sverige 5 miljoner invånare. Då bodde de flesta på landet.

I dag har Sverige nästan dubbelt så många invånare. Nu bor de flesta i städer eller tätorter.

I början av 1900-talet var många människor i Sverige mycket fattiga. De fick arbeta hårt för att få pengar till mat och kläder.

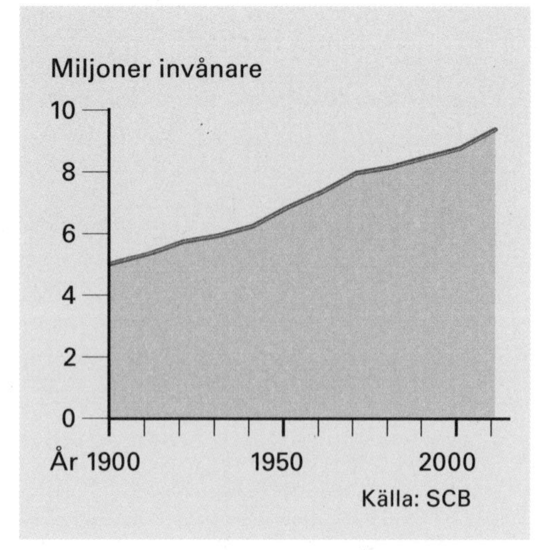

Många människor dog i tuberkulos och många barn dog före ett års ålder.

I slutet av 1800-talet och i början av 1900-talet utvandrade många svenskar till Nordamerika. Det var över en miljon människor som reste från Sverige för att börja ett nytt liv i Amerika.

9

NYA ORD

i början av	en tätort (plural: tätorter)
1900-talet	fattiga
på landet	hårt
dubbelt	(en) tuberkulos
en stad (plural: städer)	utvandrade (utvandra)

B Sätt kryss för rätt svar.

1 Hur många människor bodde i Sverige i början av 1900-talet?

☐ 1 miljon ☐ dubbelt så många som nu ☐ 5 miljoner

2 Hur många invånare har Sverige nu?

☐ ungefär 5 miljoner ☐ ungefär 9,5 miljoner ☐ ungefär 19 miljoner

3 Var bor de flesta nu?

☐ i städer ☐ på landet ☐ i byar

4 Hur många svenskar flyttade till Amerika i slutet av 1800-talet och början av 1900-talet?

☐ 1900 ☐ 5 miljoner ☐ 1 miljon

5 Varför flyttade så många svenskar till Amerika?

☐ De ville börja ett nytt liv där. ☐ De ville bo på landet.
☐ De ville bo i städer.

C Diskutera.

1 Hur många människor bodde i ditt hemland för hundra år sedan?

2 Hur många invånare har landet nu?

3 Var bor det flesta, på landet eller i städer?

9

+ Öva mera i övningsboken, sidan 134.

Mats ringer till vårdcentralen

A **Lyssna och läs.** 

Mats har varit förkyld och haft feber i en vecka nu. Han ringer till vårdcentralen för att beställa tid för en undersökning. En sjuksköterska svarar.

INGER: Vårdcentralen, Inger Gustavsson.

MATS: Hej, jag heter Mats Lindström.
Jag skulle vilja komma till en läkare.

INGER: Jaha, vad gäller det?

MATS: Jag har varit förkyld och haft feber i en vecka nu.

INGER: Har du varit här tidigare?

MATS Ja, det har jag.

INGER: Vad har du för personnummer?

MATS: 780823-3235.

INGER: Då ska vi se här. Du ska få komma till doktor Svensson.
Hon har en tid klockan 15.15 i dag. Passar det?

MATS: Ja, det går bra.

INGER: Välkommen då.

MATS: Tack. Hej då.

NYA ORD

beställer (beställa)	skulle vilja
en undersökning	en läkare
en sjuksköterska	tidigare

9

B Skriv svar.

1 Varför ringer Mats till vårdcentralen?

___

2 Vem är Inger Gustavsson?

___

3 När är Mats född?

___

4 När ska Mats träffa läkaren?

___

C Diskutera.

1 Mats har fått en tid hos läkaren kvart över tre. Får han träffa doktorn då? Måste han vänta? Hur länge måste han vänta?

2 Hur bokar man tid hos en läkare i ditt hemland?

D Lyssna. Skriv svar. 121

1 Varför vill Bengt komma till läkaren?

___

2 Vad har Bengt för personnummer?

___

3 Vilket telefonnummer har han?

___

4 När ska Bengt komma till läkaren?

___

9

+ Öva mera i övningsboken, sidan 135.

Klara är glad och skrattar

A **Lyssna och läs.** 

Varför skrattar hon?

Hon är glad.

Varför gråter hon?

Hon är ledsen.

ADJEKTIV	VERB
glad	ler (le)
ledsen	skrattar (skratta)
förvånad	gråter (gråta)
arg	älskar (älska)
lycklig	hoppas (hoppas)
sur	längtar (längta)
orolig	bråkar (bråka)
besviken	grälar (gräla)
stressad	stressar (stressa)
trött	

B Hur känner de sig? Varför, tror du? Diskutera. 

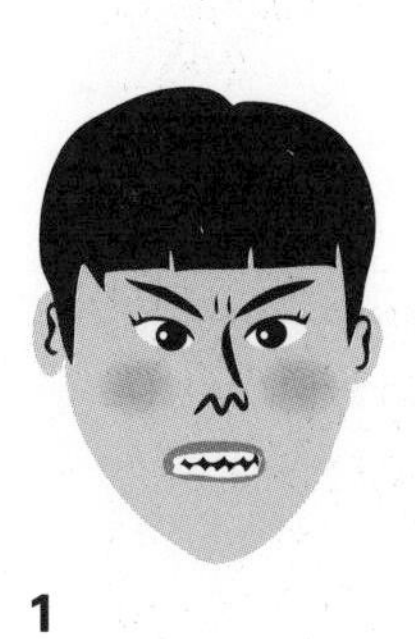

1

2

3

4

5

6

9

+ Öva mera i övningsboken, sidan 136.

Känslor

Hur känner de sig?

Vad har hänt? Fantisera!

Vad kommer att hända sedan?

9

9

+ Öva mera i övningsboken, sidan 137.

10

På Kafé Stella

A **Lyssna och läs.** 123

Hanna och Emil är klasskompisar. En dag efter skolan går de ner på stan och sätter sig på ett kafé.

HANNA:	Vad fint det är här! Nya färger och en massa nya grejer!
EMIL:	Ja, det är en ny ägare.
HANNA:	Det visste jag inte.
EMIL:	Hon heter Stella, så nu heter det Kafé Stella. Kolla på fönstret!
HANNA:	Jag var här med en kompis för ett par veckor sedan. Då såg det inte ut så här.
EMIL:	Jag vet. Jag jobbade här varje dag efter skolan hela förra veckan.
HANNA:	Vad? Det sa du ingenting om! Vad gjorde du då?
EMIL:	Jag målade. Stella ville att det skulle gå fort, så Jonas bad mig att hjälpa till. Han är ju målare och har en egen firma.
HANNA:	Var det därför du aldrig ringde efter skolan?
EMIL:	Ja, jag hade inte tid att ringa. Vi jobbade till sent varje kväll.
HANNA:	Fick du någon lön?
EMIL:	Ja, det är klart. Nu har jag nog pengar så det räcker till körkortet.
HANNA:	Vad bra! Vilket fint jobb ni har gjort!

EMIL: Visst, jag är ganska stolt. Och jag lärde mig mycket också. Det är faktiskt kul att måla. Det trodde jag inte.

HANNA: Men nu är jobbet klart, så då är du ledig.

EMIL: Ja, nu har jag tid att träffa kompisar igen. Jag snackade med Markus, förresten. Han ska ha fest i morgon. Jag tänker gå. Hänger du med?

HANNA: Nej, jag har lovat att vara hemma och passa brorsan. Morsan och farsan ska gå på bio. Jag måste plugga matte också. Vi har ju prov nästa vecka.

EMIL: Jag vet. Men plugga en fredagkväll? Aldrig! Men du, jag måste sticka nu. Jonas jobbar och mamma ska på kurs, så vi ska käka middag tidigt i kväll.

HANNA: Okej. Hej då. Vi ses i morgon.

EMIL: Hej då.

NYA ORD

en klasskompis	visste (veta)	en lön	faktiskt	passa
sätter sig	kolla	det är klart	snackade	en morsa
(sätta sig)	såg (se)	nog	(snacka)	en farsa
en massa	målade	räcker (räcka)	förresten	(en) matte
en grej	(måla)	gjort (göra)	hänger med	ett prov
(plural: grejer)	bad (be)	visst	(hänga med)	sticka
en ägare	en firma	stolt	lovat (lova)	käka

B **Öva i par. Fråga varandra.** 

1 Vad heter kaféet som Hanna och Emil sitter på?
2 Vad gjorde Emil förra veckan?
3 Varför ringde inte Emil till Hanna?
4 Vad heter kaféets nya ägare?
5 Vad ska Emil använda lönen till?
6 Varför är Emil stolt?
7 Emil ska gå på fest. Vad ska Hanna göra?
8 Varför måste Emil gå hem?

C Skriv alla former av verben.

INFINITIV	IMPERATIV	PRESENS	PRETERITUM	SUPINUM
–		+ r	+ de	+ t
jobba	jobba	jobbar	jobbade	jobbat
	träffa			
	lova			
	passa			
+ a		+ er	+ de	+ t
ringa	ring	ringer	ringde	ringt
	häng			
	stäng			
	lev			
	händ		hände	hänt
+ a		+ er	+ te	+ t
köpa	köp	köper	köpte	köpt
	tänk			
	hjälp			
	läs			
–		+ r	+ dde	+ tt
bo	bo	bor	bodde	bott
	tro			

D Fyll i verb i rätt form.

hjälper hjälpte hjälpt	1 Emil ______________ Jonas att måla Kafé Stella förra veckan.
tror trodde trott	2 Hanna ______________ inte att Emil kunde måla så bra.
stanna stannar stannat	3 Emil och Hanna ______________ länge på kaféet.
berätta berättar berättade	4 Hanna ska ______________ för sin mamma om kaféet när hon kommer hem.
bo bodde bott	5 Var ______________ du innan du flyttade hit?
fråga frågade frågat	6 Har du ______________ om han vill komma på middag?
ring ringa ringer	7 Kan du ______________ mig i kväll?
läsa läser läst	8 Vad ______________ du?
stäng stängde stängt	9 Apoteket har ______________.
träffar träffade träffat	10 Har du ______________ honom?

10

INFINITIV	IMPERATIV	PRESENS	PRETERITUM	SUPINUM
vara	var	är	var	varit
ha	ha	har	hade	haft
göra	gör	gör	gjorde	gjort
kunna	–	kan	kunde	kunnat
vilja	–	vill	ville	velat
veta	–	vet	visste	vetat
–	–	ska	skulle	–
få	–	får	fick	fått
gå	gå	går	gick	gått
ge	ge	ger	gav	gett
se	se	ser	såg	sett
förstå	förstå	förstår	förstod	förstått
säga	säg	säger	sa(de)	sagt
ta	ta	tar	tog	tagit
hålla	håll	håller	höll	hållit
komma	kom	kommer	kom	kommit
dricka	drick	dricker	drack	druckit
skriva	skriv	skriver	skrev	skrivit
sova	sov	sover	sov	sovit
springa	spring	springer	sprang	sprungit
sätta	sätt	sätter	satte	satt
äta	ät	äter	åt	ätit

§ 9.8
§ 9.9
§ 9.10

E Fyll i verb i rätt form.

ser såg sett

1 Hanna _______________ inte skylten när hon gick in på kaféet.

gör gjorde gjort

2 Hanna tycker att de har _______________ ett fint jobb.

dricka drick dricker

3 De sitter på kaféet och _______________ kaffe.

gå går gått

4 Emil måste _______________ nu.

vara är var	**5** Hanna ska ____________ hemma med Martin.
få får fick	**6** Klara ____________ ett plåster innan Ellen kom.
skriver skrev skrivit	**7** I går ____________ jag ett mejl till min kompis i USA.
förstå förstod förstått	**8** När jag kom till Sverige____________ jag inte ett ord svenska.
vara var varit	**9** Jag har aldrig ____________ i Kiruna.
säga säger sa	**10** Förlåt, jag hörde inte vad du ____________.
ha har haft	**11** Jag har ____________ ont i ryggen i två veckor.
ät äter åt	**12** Jag ____________ inte frukost i morse.
sover sov sovit	**13** Han har inte ____________ på hela natten.
springa springer sprang	**14** Du får inte ____________ ut på vägen.
komma kom kommit	**15** Vill du ____________ hem och äta middag hos mig?
göra gjorde gjort	**16** Vad har ni ____________ i skolan i dag?
göra gjorde gjort	**17** Vad ska ni ____________ i morgon?
gå går gått	**18** Måste du ____________ hem nu?

10

+ Öva mera i övningsboken, sidan 138–141.

En tidningsartikel

A **Lyssna och läs.** 

Stellas dröm har blivit verklighet

Nu har Småstad fått ett nytt kafé. Det öppnade i går och heter Kafé Stella. Det är Kafé Bullen som har fått nytt utseende och nytt namn. Kaféet har fått namn efter den nya ägaren Stella Bylund.

Stella kommer ursprungligen från Kiruna. Där arbetade hon på ett kafé i 15 år. Hon trivdes med jobbet, och hon drömde om att ha ett eget kafé. För tre år sedan fick hennes man jobb i Småstad och därför flyttade familjen hit.

Här i Småstad arbetade Stella först tre år inom hemtjänsten. Hela tiden letade hon efter en bra lokal för ett kafé, men hon hittade ingen. Men så, för tre månader sedan, fick hon reda på att Kafé Bullen skulle säljas. Äntligen kunde hon få ett eget kafé. Hon köpte Kafé Bullen och lät renovera lokalen. Nu är allt nytt och fräscht. Stellas dröm har blivit verklighet!

Text: Mikael Sandberg

NYA ORD

en tidningsartikel	inom	skulle	lät (låta)
en dröm	(en) hemtjänst	säljas	renovera
en verklighet	en lokal	äntligen	fräscht
ett utseende	fick reda på	kunde (kan)	
ursprungligen	(få reda på)	lät renovera	

10

Hur länge arbetade Stella på kafé i Kiruna? — **I** 15 år.
När flyttade hon till Småstad? — **För** tre år **sedan**.

§ 6.1

B Skriv svar. Använd i eller för...sedan.

1 Hur länge har Kafé Stella varit öppet?

____

2 Hur länge arbetade Stella inom hemtjänsten?

____

3 När köpte Stella kaféet?

____

4 Hur länge har Stella bott i Småstad?

____

C Svara på frågorna. Svara med i eller för...sedan.

1 När kom du till Sverige?

____

2 Hur länge har du studerat svenska?

____

3 När började du skolan i ditt hemland?

____

4 Hur länge gick du i skolan?

____

10

+ Öva mera i övningsboken, sidan 141.

Vardagsspråk och slang

A Läs och lyssna. 125

När vi talar använder vi en del ord och uttryck som vi inte kan använda i formellt skriftspråk. Det är vardagsspråk och slang. En del av de vardagliga orden används av människor i alla åldrar, andra är särskilt vanliga bland ungdomar.

Jag snackade med Markus.

Morsan och farsan ska gå på bio.

NYA ORD

ett vardagsspråk	ett uttryck	används (användas)
(en) slang	formellt	särskilt
använder (använda)	ett skriftspråk	en ungdom
en del	vardagliga	(plural: ungdomar)

B De här orden är vardagsspråk eller slang. Vad kan du säga i stället? Alla ord finns i rutan.

en flicka	en pojke	en sak	gå i väg	ordna
prata	studera	ta det lugnt	titta	~~äta~~

▶ käka ___äta___

1 snacka ______

2 dra ______

3 kolla ______

4 fixa ______

5 plugga ______

6 softa ______

7 en tjej ______

8 en kille ______

9 en grej ______

10

C Skriv vad de säger. Välj fraser i rutan.

Lägg av! Läget? Tjena! Fattar du?

1

Hej! ______________

2

______________ Det är okej.

Aha, du gillar henne, va? ______________

______________ Nej, jag förstår ingenting.

10

+ Öva mera i övningsboken, sidan 142.

Hanna berättar

A **Lyssna och läs.** 

När Hanna kom hem från kaféet, berättade hon för sin mamma att hon hade varit med Emil på Kafé Stella.

HANNA: Emil och jag fikade på Kafé Stella i dag.

MAMMA: Kafé Stella? Var ligger det?

HANNA: Det hette Kafé Bullen förut. Det är ny ägare nu. Hon heter Stella och hon har gjort om hela kaféet.

> NYA ORD
> förut
> gjort om (göra om)
> jättefint

MAMMA: Jaha, var det fint då?

HANNA: Jättefint. Och Emil berättade att han hade varit där och jobbat! Han berättade att Jonas och han hade målat på kvällarna hela förra veckan. Han sa att han hade tjänat ganska mycket pengar som han tänkte använda till att ta körkort.

MAMMA: Vad bra!

PRETERITUM PLUSKVAMPERFEKT § 9.1

Hanna **berättade** att hon **hade varit** på Kafé Stella.

hade + supinum = pluskvamperfekt

B Fyll i pluskvamperfekt av verben.

▸ Emil sa att han _hade jobbat_ på kvällarna hela förra veckan. (jobba)

1 Emil sa att kaféet ______________ en ny ägare. (få)

2 Han sa att han ______________ Jonas. (hjälpa)

3 Hanna frågade om han ______________ några pengar. (tjäna)

4 Emil sa att han ______________ övningsköra. (börja)

5 Hanna sa att de ______________ ett fint jobb. (göra)

6 Emil sa att han ______________ sig mycket. (lära)

7 Hanna förstod att Emil ______________ hårt. (jobba)

8 Hon tyckte att han ______________ duktig. (var)

9 Han visste att han ______________ ett bra jobb. (gör)

10 Emil sa att han ______________ med Markus. (snacka)

11 Hanna sa att hon ______________ vara hemma. (lova)

+ Öva mera i övningsboken, sidan 143.

En annons

A Lyssna och läs. 

VÄLKOMNA TILL NYÖPPNADE

Kafé Stella

(f.d. Kafé Bullen)

Öppningserbjudande denna vecka:

Kaffe och bulle 20 kr (ordinarie pris 32 kr)

Kaffe och räksmörgås 40 kr (ordinarie pris 55 kr)

Öppet

måndag–fredag 10.00–19.00

lördag 10.00–17.00

söndag 10.00–16.00

Ågatan 54

Telefon 0111-590340

NYA ORD

en annons
nyöppnade
f.d. (= före detta)
ett öppnings-erbjudande
denna
ordinarie
en räksmörgås

B Skriv svar.

1 Vad kostar en kopp kaffe och en bulle den här veckan? ______________________

2 Vad kostar en kopp kaffe och en bulle nästa vecka? ______________________

3 Har kaféet öppet på onsdagar? ______________________

4 Vad hette kaféet förut? ______________________

5 Var ligger kaféet? ______________________

10

+ Öva mera i övningsboken, sidan 144.

Betoning

128

Betoning av verb och partiklar

När kommer hon?	När kommer hon hem?
De har gått.	De har gått ut.

Lyssna, markera, läs.

1 Vill du komma? — Vill du komma in?
Har hon kommit? — Har hon kommit hem?
Han kommer inte. — Han kommer inte tillbaka.
Kommer du? — Kommer du ut?

2 Ska du gå? — Ska du gå hem?
Hon har gått. — Hon har gått ut.
Jag måste gå. — Jag måste gå upp.
När gick de? — När gick de in?

3 När kommer du tillbaka?
Varför gick de?
Han har inte kommit hem.
När ska du gå upp?
Jag kan inte komma.
Varför kommer du inte in?
När kommer du?
Ska vi gå ut?
Jag kommer inte ut.
Har de gått?
Jag kommer tillbaka.
Vi måste gå hem.

Känner du honom?

A **Lyssna och läs.** 

Hanna och Emil går i samma klass.
De känner varandra.

Astrid Lindgren är
en svensk författare.
Känner du till henne?

Hassans gamla lärare fyllde 70 år.
Hassan såg hennes foto i tidningen
och kände igen henne.

§ 16.3

Hanna och Emil **känner** varandra.
Jag **känner till** Astrid Lindgren. Jag har läst flera av hennes böcker.
Hassan **kände igen** Birgitta när han såg fotot i tidningen.
Tina **känner sig** trött, eftersom hon har jobbat hela dagen.
Hur många språk **kan** du?

–**Kan** Tina tala tyska?
–Jag **vet** inte.

B Para ihop meningarna till korta dialoger. Dra streck.

1 Hur känner du dig?	Ja, han heter Olle.
2 Känner du Olle Palmgren?	Ja, det är Tina Nykvist. Hon är skådespelare.
3 Känner du till Tina Nykvist?	Bra, tack.
4 Känner du igen kvinnan som sitter där?	Ja, hon är en duktig skådespelare, tycker jag.
5 Kan du engelska?	Ja, han bor i samma hus som jag.
6 Vet du vad han heter?	Ja, det kan jag.

C Fyll i rätt verb.

känner vet kan	1 Hanna ______________ inte att Emil har arbetat på lovet.
kände igen kände till kände sig	2 Jonas hade jobbat hela dagen så han ______________ väldigt trött.
vet kan känner	3 Hassan ______________ tala både engelska och franska.
vet kan känner	4 Tina är skådespelare, men hon ______________ inte sjunga.
känner igen känner vet	5 Många ______________ Tina eftersom de har sett henne på teve.
känner till känner sig kan	6 Jag ______________ många svenska skådespelare, för jag tittar mycket på svensk film.

10

+ Öva mera i övningsboken, sidan 145.

Hassan och Linda planerar bröllop

NYA ORD
planerar (planera)
boka
en flygresa
lugna dig (lugna sig)
koncentrera mig
(koncentrera sig)
en almanacka
förlova oss (förlova sig)
en förlovningsmiddag
sätta in
en förlovning

A Lyssna och läs. 

Hassan och Linda har bestämt sig för att gifta sig.
De börjar planera sitt bröllop.

HASSAN: När tycker du att vi ska gifta oss?

LINDA: I maj eller juni nästa år. Då har vi tid att planera allt. Och spara pengar. Jag vill ha ett stort bröllop med många gäster, så det kommer nog att kosta.

HASSAN: Jag måste ringa mina föräldrar och alla mina släktingar. De måste skynda sig att boka flygresa.

LINDA: Men lugna dig! Vi har ju inte bestämt datum än. Kom så sätter vi oss ner och pratar om det här!

HASSAN: Okej. Jag ska försöka koncentrera mig. Vad säger du om en lördag i början av juni? Blir det bra?

LINDA: Ja, det låter bra. Vi får titta i almanackan. Men vi ska kanske förlova oss först? Vi kan gå och köpa ringar i morgon.

HASSAN: Ja, och så kan vi ha en liten förlovningsmiddag här hemma nästa lördag.

LINDA: Det blir bra. Vi måste sätta in en annons i tidningen om förlovningen också. Och så...

REFLEXIVA PRONOMEN

jag bestämmer **mig** (mej)
du bestämmer **dig** (dej)
han bestämmer **sig** (sej)
hon bestämmer **sig** (sej)
man bestämmer **sig** (sej)
vi bestämmer **oss**
ni bestämmer **er**
de bestämmer **sig** (sej)

NÅGRA VANLIGA REFLEXIVA VERB

bestämmer sig (bestämma sig)
förlovar sig (förlova sig)
gifter sig (gifta sig)
går och lägger sig (gå och lägga sig)
klär på sig (klä på sig)
koncentrerar sig (koncentrera sig)
känner sig (känna sig)
lär sig (lära sig)
skyndar sig (skynda sig)
sätter sig (sätta sig)
ångrar sig (ångra sig)

B Skriv mig, dig, sig, oss eller er.

1 Hassan och Linda har bestämt __________ för att gifta sig.

2 "När ska ni förlova __________?" frågar Lindas mamma.

3 "Hur känner du __________, Linda?"

4 "Jag känner __________ så lycklig, mamma", svarar Linda.

5 "Vi har inte bestämt när vi ska gifta __________", säger Hassan.

6 "Ni måste skynda __________ att bestämma __________", säger Hassans pappa.

7 "Jag måste försöka koncentrera __________ nu."

8 Linda och Hassan sätter __________ i soffan.

10

+ Öva mera i övningsboken, sidan 146.

Familjesidan

A **Lyssna och läs.** 

På familjesidan i en tidning kan du läsa om barn som har fötts, par som har förlovat sig eller gift sig och människor som har dött.

FÖDDA

Det blev en pojke!
Välkommen vår älskade lille NILS
Helena Persson och **Khalid Said**
Västra sjukhusets KK 27/5

Nu har Molly kommit, Oskars lillasyster
Lena och **Måns Persson**
Västra sjukhusets KK 1/6

Välkommen vår SON, Sagas lillebror
Maja Knutsson och **Tommy Törnberg**
Västra sjukhusets KK 29/5

FÖRLOVNING

Av kärlek
Linda Nilsson
Hassan Scali
Småstad 12 juni

Maria Dolk
Jean Maurice
Paris 14/6

VIGSEL

Vi gifter oss i Ryds kyrka
den 24 juni
Fredrik Berg
Anna Dahl

Vigsel har ägt rum
i Villa Högdal, Motala
den 10/6 mellan
Roger Söderberg och **Karina Boström**

NYA ORD

en familjesida	blev (bli)	KK (= kvinnoklinik)	en kyrka
fötts (födas)	älskade	en lillebror	ägt rum
ett par	lille	en kärlek	(äga rum)
dött (dö)		en vigsel	

B Svara på frågorna.

1 När föddes Molly?

____

2 Var gifter sig Fredrik och Anna?

____

3 Var förlovade sig Maria och Jean?

____

4 Vilka gifte sig i Motala?

____

5 Vad heter Sagas mamma och pappa?

____

6 Vad gjorde Hassan och Linda den 12 juni?

____

7 Varför har Helena och Khalid satt in en annons?

____

8 Hur många barn har Maja och Tommy?

____

+ Öva mera i övningsboken, sidan 147.

Gifta sig i Sverige

A Lyssna och läs. 

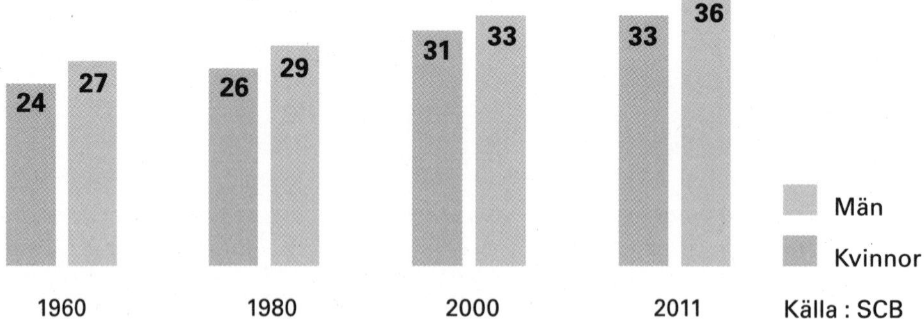

Diagrammet visar att medelåldern för första giftermålet ökar. År 1960 var medelåldern för kvinnor 24 år. År 2011 var den 33 år. Även män gifter sig senare. Medelåldern för män var 27 år 1960 och 36 år 2011.

Medelåldern för giftermål har alltså ökat med 9 år från 1960.

NYA ORD

en medelålder	en man	ett diagram	även
ett giftermål	(plural: män)	ökar (öka)	

B Skriv svar.

1 Vad var medelåldern för kvinnor som gifte sig år 2000? ________

2 Vilket år var medelåldern 29 år för män som gifte sig? ________

C Diskutera.

1 Är det bra att vara ung när man gifter sig?

2 Mannen är ofta äldre än kvinnan när han gifter sig. Varför är det så?

+ Öva mera i övningsboken, sidan 148.

Uttal

133

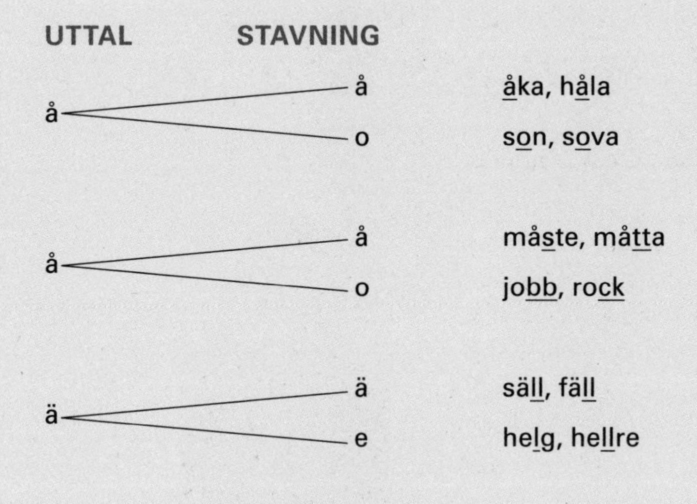
UTTAL
STAVNING
å
å
o
åka, håla
son, sova
å
å
o
måste, måtta
jobb, rock
ä
ä
e
säll, fäll
helg, hellre

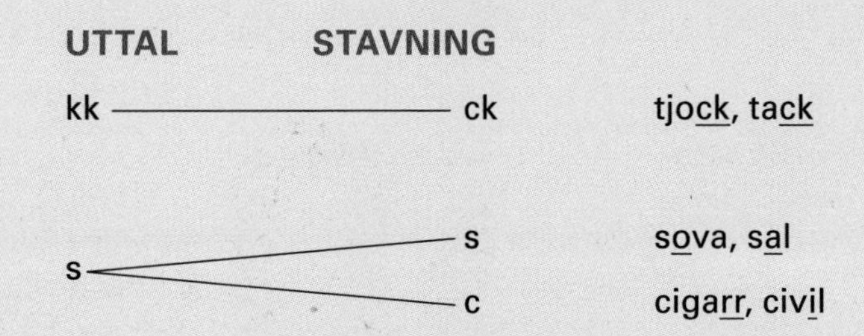
UTTAL
STAVNING
kk
ck
tjock, tack
s
s
c
sova, sal
cigarr, civil

10

Vi frågar

A **Lyssna och läs.** 

VI FRÅGAR: *Är det viktigt att gifta sig?*

Amina, 22 år, med pojkvännen Ahmed

Ja, enligt vår religion är det viktigt att gifta sig. I vårt hemland lever man inte ihop innan man har gift sig. Här i Sverige kan man göra det, men vi tänker gifta oss. Nästa år.

Mohammed, 43 år

Nej, det tycker jag inte. Man kan vara sambo hela livet och ha barn ihop också utan att gifta sig. Jag ser inte några problem med det.

Margit, 77 år, gift med Erik

När vi var unga var man tvungen att gifta sig om man ville bo ihop. Att leva tillsammans som ogifta var en synd. Nu för tiden kan man bo tillsammans ett tag och känna efter om man passar ihop innan man gifter sig. Det tycker jag är bättre.

Frida, 34 år, och Linn, 35 år

Ja, vi vill gärna visa att vår kärlek är äkta och lova varandra att leva tillsammans hela livet. Sedan är det ju också bättre rent juridiskt, hur man ärver varandra och så.

10

NYA ORD

enligt	ogifta	ett problem	juridiskt
en religion	en synd	(plural: problem)	och så
var tvungen	känna efter	äkta	
(vara tvungen)	bättre	rent	

B Rätt eller fel? Sätt kryss.

		Rätt	Fel
1	Amina och Ahmed lever som sambo.	☐	☐
2	Margit tycker att det var bättre när hon var ung.	☐	☐
3	Mohammed tycker att det är helt okej att vara sambo och ha barn.	☐	☐
4	Frida och Linn vill gifta sig.	☐	☐

C Lyssna. Rätt eller fel? Sätt kryss. 135

		Rätt	Fel
1	Anita tycker det är viktigt att gifta sig.	☐	☐
2	Benjamin vill gifta sig.	☐	☐
3	Helge är sambo.	☐	☐

D Diskutera.

Är det viktigt att gifta sig? Varför? Varför inte?

+ Öva mera i övningsboken, sidan 149.

Bröllop

I vilket land är det?

Skulle det kunna vara i ditt hemland? Varför? Varför inte?

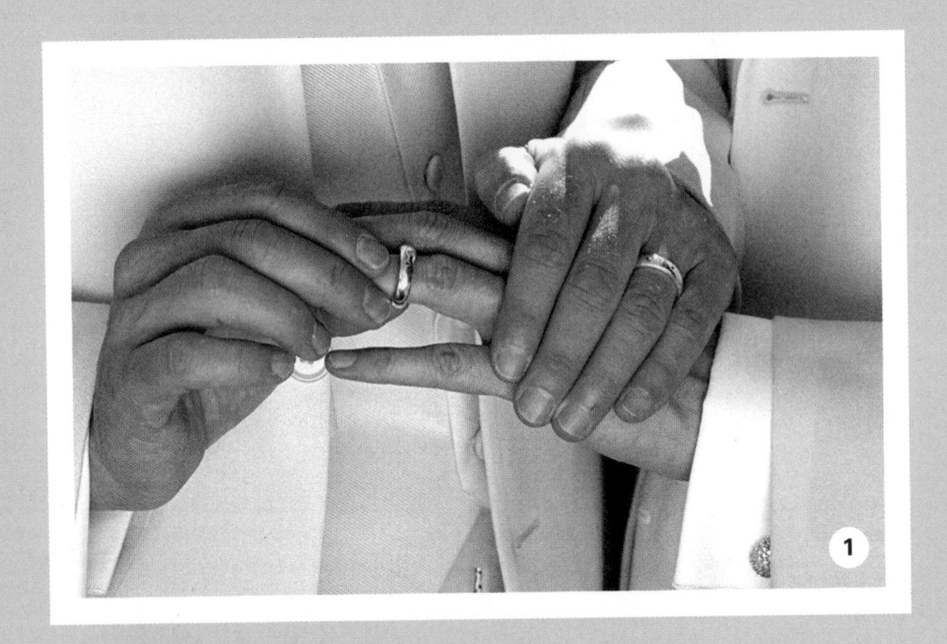

10

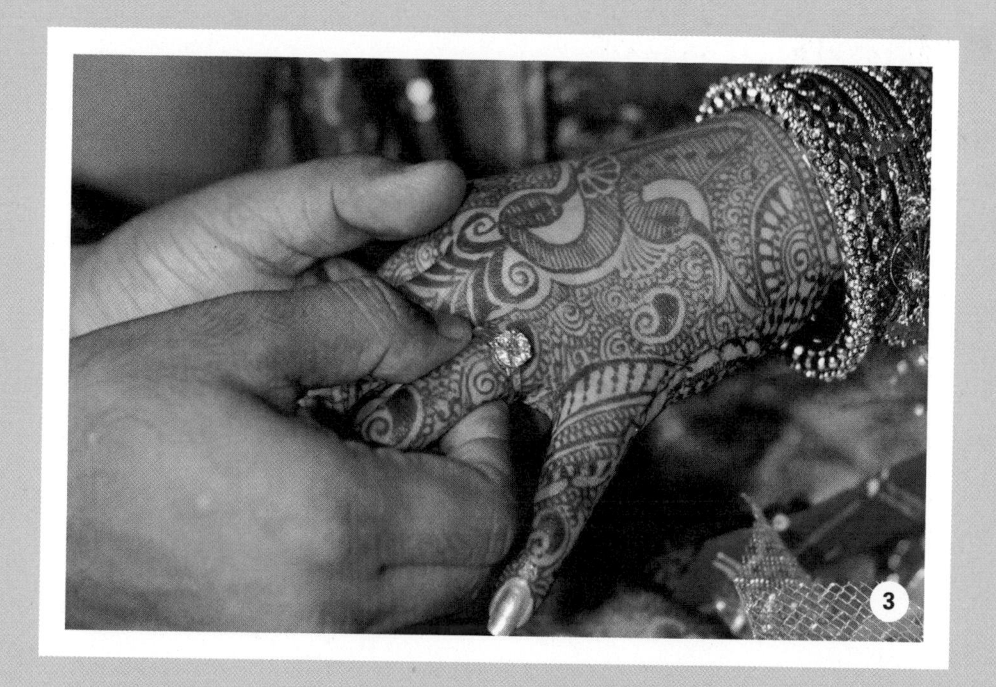

+ Öva mera i övningsboken, sidan 150.

Vad säger du?

Vad säger du när du hör de här fraserna? Sätt kryss för rätt svar.

1 Grattis på födelsedagen!
☐ Hälsa! ☐ Tack! ☐ Varsågod.

2 Jag mår inte bra. Jag känner mig sjuk.
☐ Krya på dig! ☐ Lycka till! ☐ Ha det så bra!

3 Jag kan komma på festen i kväll.
☐ Vad snygg! ☐ Vad spännande! ☐ Vad kul!

4 Jag dricker inte kaffe.
☐ Jag också. ☐ Inte jag heller. ☐ Jag med.

5 Kan jag få låna din penna?
☐ Tack! ☐ Varsågod. ☐ Ursäkta!

6 Vill du ha mer kaffe?
☐ Det är bra så. ☐ Vad bra! ☐ Varsågod.

7 Jag ska börja ett nytt jobb i morgon.
☐ Tack ska du ha! ☐ Välkommen! ☐ Lycka till!

8 Vilken snygg tröja!
☐ Tack. ☐ Varsågod. ☐ Välkommen.

9 Kan du hjälpa mig?
☐ Jaså. ☐ Javisst. ☐ Jaha.

10 Trevlig helg!
☐ Tack detsamma. ☐ Lycka till. ☐ Hälsa!

Vad kan du?

Nu har du läst hela Mål 1. Du har lärt dig mycket. Sätt kryss för allt du kan.

Jag kan

- ☐ förstå när någon talar långsamt och på lätt svenska
- ☐ förstå enkla meddelanden
- ☐ förstå kvitton och annonser
- ☐ förstå enkla korta faktatexter

- ☐ skriva ett kort meddelande
- ☐ skriva en kort text om mig själv
- ☐ fylla i mina personuppgifter på en blankett

- ☐ presentera mig
- ☐ berätta om min familj och min släkt
- ☐ beskriva min bostad
- ☐ beskriva en person
- ☐ berätta om vad jag gör under en dag
- ☐ berätta vad jag tycker om
- ☐ berätta vad jag gjorde i går
- ☐ berätta vad jag tycker om att göra
- ☐ berätta vad jag vill göra i framtiden

- ☐ ställa frågor om en persons familj och bostad
- ☐ fråga efter vägen
- ☐ fråga efter en vara i en affär
- ☐ börja och avsluta ett telefonsamtal
- ☐ beställa tid, till exempel på vårdcentralen

Grammatik

Substantiv

Nouns

En-ord och ett-ord

EN-ORD	ETT-ORD
en skola	ett språk
en penna	ett suddgummi

Definite and indefinite forms

Obestämd och bestämd form singular

OBESTÄMD FORM		BESTÄMD FORM
en kjol	+ en	kjolen
en skola	+ n	skolan
ett språk	+ et	språket
ett suddgummi	+ t	suddgummit

Genitiv

Klara	+ s	Klaras
flickan	+ s	flickans
skolan	+ s	skolans

Obestämd och bestämd form plural

(SINGULAR)	PLURAL OBESTÄMD FORM	PLURAL BESTÄMD FORM
(en skola)	(två) skolor	skolorna
(en säng)	(två) sängar	sängarna
(en kavaj)	(två) kavajer	kavajerna
(ett suddgummi)	(två) suddgummin	suddgummina
(ett språk)	(två) språk	språken

Adjektiv

EN-ORD	ETT-ORD	PLURAL
en stor katt	ett stort bord	många stora katter
		många stora bord
en billig stol	ett billigt bord	många billiga stolar
		många billiga bord

Regular verbs

Regelbundna verb

INFINITIV	IMPERATIV	PRESENS	PRETERITUM	SUPINUM
–		**+ r**	**+ de**	**+ t**
jobba	jobba	jobbar	jobbade	jobbat
+ a		**+ er**	**+ de**	**+ t**
ringa	ring	ringer	ringde	ringt
+ a		**+ er**	**+ te**	**+ t**
köpa	köp	köper	köpte	köpt
–		**+ r**	**+ dde**	**+ tt**
bo	bo	bor	bodde	bott

Irregular verbs

Oregelbundna verb

INFINITIV	IMPERATIV	PRESENS	PRETERITUM	SUPINUM
dricka	drick	dricker	drack	druckit
få	få	får	fick	fått
förstå	förstå	förstår	förstod	förstått
ge	ge	ger	gav	gett
gå	gå	går	gick	gått
göra	gör	gör	gjorde	gjort
hålla	håll	håller	höll	hållit
hända	–	händer	hände	hänt
komma	kom	kommer	kom	kommit
ligga	ligg	ligger	låg	legat
lägga	lägg	lägger	la(de)	lagt
se	se	ser	såg	sett
sitta	sitt	sitter	satt	suttit
skriva	skriv	skriver	skrev	skrivit
sova	sov	sover	sov	sovit
springa	spring	springer	sprang	sprungit
säga	säg	säger	sa(de)	sagt
sätta	sätt	sätter	satte	satt
ta	ta	tar	tog	tagit
veta	–	vet	visste	vetat
äta	ät	äter	åt	ätit

Hjälpverb

INFINITIV	IMPERATIV	PRESENS	PRETERITUM	SUPINUM
bli	bli	blir	blev	blivit
ha	ha	har	hade	haft
kunna	–	kan	kunde	kunnat
vara	var	är	var	varit
vilja	–	vill	ville	velat
–	–	ska	skulle	–

Tenses

Tempus

NU		DÅ	
PRESENS	Hon arbetar.	PRETERITUM	Hon arbetade.
PERFEKT	Hon har arbetat. (har + SUPINUM)	PLUSKVAMPERFEKT	Hon hade arbetat. (hade + SUPINUM)

Pronouns

Pronomen

Personliga pronomen

SUBJEKT	OBJEKT	REFLEXIV
SINGULAR		
jag	mig	mig (mej)
du	dig	dig (dej)
han	honom	sig (sej)
hon	henne	sig (sej)
den	den	sig (sej)
det	det	sig (sej)
man	en	sig (sej)
PLURAL		
vi	oss	oss
ni	er	er
de (dom)	dem (dom)	sig (sej)

Possessiva pronomen

EN-ORD	ETT-ORD	PLURAL
min	mitt	mina
din	ditt	dina
hans	hans	hans
hennes	hennes	hennes
vår	vårt	våra
er	ert	era
deras	deras	deras

Som

Klara har en bror. Han heter Emil.	Klara har en bror **som** heter Emil.
Hon går i en förskola. Den heter Pärlan.	Hon går i en förskola **som** heter Pärlan.
Förskolan ligger på Tallvägen. Den heter Pärlan.	Förskolan, **som** heter Pärlan, ligger på Tallvägen.

Word order

Ordföljd

Påståendesatser med ett verb

SUBJEKT	VERB	SATSADVERB	OBJEKT	PLATS	TID
Ellen	läser.				
Klara	sover	inte.			
Olle	kör		taxi.		
Jag	förstår	inte	honom.		
Emil	hämtar		Klara	på dagis	klockan fem.

2 verbs

Påståendesatser med flera verb

SUBJEKT	VERB 1	SATSADVERB	VERB 2	OBJEKT	PLATS	TID
Emil	brukar		cykla		till skolan.	
Klara	ska	inte	gå		till dagis	i morgon.
Emil	får	inte	köra	bil.		

Does not start with subject

Spetsställd tid och plats

TID/PLATS	VERB 1	SUBJEKT	SATSADVERB	VERB 2	OBJEKT	PLATS/TID
På kvällen	lagar	Tina			mat.	
På torget	brukar	hon		köpa	frukt.	
I morgon	vill	jag	inte	gå		till skolan.

Questions – verb

Ja/nej-frågor

VERB 1	SUBJEKT	SATSADVERB	VERB 2	OBJEKT	TID/PLATS
Läser	Ellen?				
Kör	Olle			taxi?	
Brukar	Emil		cykla		till skolan?

Question - question word

Frågeordsfrågor

FRÅGEORD	VERB $_1$	SUBJEKT	SATSADVERB	VERB $_2$	OBJEKT	TID/PLATS
När	äter	Hassan			frukost?	
Vart	ska	Linda		åka?		
Vad	vill	hon	alltid	göra		på kvällen?

Short answers

Frågor med kortsvar

Kommer du på lördag?	Ja, det **gör** jag. Nej, det **gör** jag inte.
Är du gift?	Ja, det **är** jag. Nej, det **är** jag inte.
Har du barn?	Ja, det **har** jag. Nej, det **har** jag inte.
Kan hon cykla?	Ja, det **kan** hon. Nej, det **kan** hon inte.
Får han köra bil?	Ja, det **får** han. Nej, det **får** han inte.
Vill du gå nu?	Ja, det **vill** jag. Nej, det **vill** jag inte.

Huvudsatser och bisatser

HUVUDSATS	BISATS
Tina lagar middag	när hon kommer hem.
Jag läser tidningen	innan jag går till jobbet.
Jag kan hjälpa dig	om du vill.
Klara har regnkläder på sig	eftersom det är blött ute.
Klara klättrar upp på stenen	trots att hon inte får.

BISATS	HUVUDSATS
När Tina kommer hem	lagar hon mat.
Innan jag går till jobbet	läser jag tidningen.
Om du vill	kan jag hjälpa dig.

BILDKÄLLOR

Siffrorna anger sida och bildens placering på sidan.

10	Magnus Bergström/Scanpix
19:5	Jonn/Johnér Bildbyrå
25:3	Anders Good/IBL Bildbyrå
26:3	Riitta Stenius
30:1	Robert Galbraith/Reuters/Scanpix
30:2	Martin Parr/Magnum/IBL Bildbyrå
31:1	Marianne Lind/Scanpix
31:2	Robban Andersson/Scanpix
39:1	Andreas Hythén/IBL Bildbyrå
39:2	Björn Larsson/Scanpix
39:3	Mats Landerberg/ IBL Bildbyrå
42	Magnus Bergström
54:2	Ali Goldstein/Scanpix
54:3	Anna Molander/NordicPhotos
55:1	Elin Berge/Scanpix
55:2	Rex Features/IBL Bildbyrå
65:3	Bengt Nilsson/Scanpix
65:4	Adam Ihse/Scanpix
67	Ingvar Karmhed/SVD/Scanpix
68	Lars G. Säfström/NordicPhotos
77	Johan Norenlind/NordicPhotos
78:1	Helen Toresdotter/NordicPhotos
78:2	Mikael Andersson/NordicPhotos
78:3	Chad Ehlers/NordicPhotos
79:1	Anders Tukler/NordicPhotos
79:2	Patrik Engqvist/Etsabild /Johnér Bildbyrå
89	Magnus Bergström/Scanpix
102:1	Jan Collsiöö/Scanpix
102:2	Kari Kohvakka/Etsabild /Johnér Bildbyrå
102:3	Bruno Barbey/Magnum Photos/ IBL Bildbyrå
103:1	Linda Forsell/SVD/Scanpix
103:2	Jennie Segerberg/Scanpix
126	DPA/IBL Bildbyrå
128:1	Alex Majoli/Magnum Photos /IBL Bildbyrå
128:2	Beatrice Lundborg/Scanpix
129:1	Åke Ericson/IBL Bildbyrå
129:2	Björn Andrén/Greatshots /NordicPhotos
142	Magnus Bergström/Scanpix
152:1	Claudio Breciani/Scanpix
152:2	Robert Ekengren/Scanpix
153:1	Jan Micrut/Scanpix
153:2	TT/Scanpix
168	Riitta Stenius
173	IBL Bildbyrå
178:1	Peter Menzel/InaagencyPress
178:2	Erlend Aas/Scanpix
178:3	Peter Menzel/InaagencyPress
179:1	Magnus Bergström/Scanpix
179:2	Peter Menzel/InaagencyPress
182:1	Tobias Rostlund/Scanpix
182:2	Maskot/Scanpix
182:3	Javier Soriano/Afp/Scanpix
182:4	Dominique Ecken/Keystone/Scanpix
196	Riitta Stenius
198:1	Björn Röhsman/Naturfotograferna/ NordicPhotos
198:2	Tomas Oneborg/Scanpix
199:1	Lena Granefelt
199:2	Rex Features/IBL Bildbyrå
206	IBL Bildbyrå
216	Riitta Stenius
220:1	L Ancheles/Johnér Bildbyrå
220:2	Susanne Kronholm/Johnér Bildbyrå
221:1	Niclas Elmrin/Kamera Reportage
221:2	Helena Bergengren/Tiofoto /NordicPhotos
236:3	IBL Bildbyrå
246:1	Jeanette Jones/Rex Features /IBL Bildbyrå
246:2	Matti Kainulainen/Lehtikuva/Scanpix
247:1	Dinodia/Rex Features/IBL Bildbyrå
247:2	Tommy Holl/IBL Bildbyrå

Teckningar speciellt för denna bok:
Annie Boberg

Foton speciellt fotograferade för denna bok:
Lorna Bartram:
s 6, 7, 19, 22, 23, 24, 25, 32, 40, 48, 49, 50, 56, 57, 61, 80, 81, 104, 108, 113, 119, 130, 154, 165, 170, 190, 191, 192, 210, 218, 222, 232, 236

Sebastian Uddén: s 83:1,2,3,6, 84, 105, 238

Karin Stjernholm: s 83:4,5

INNEHÅLL PÅ CD

Framför varje rubrik anges sida i boken. Symbolen 🎧 markerar hörövning. Manus till hörövningarna finns i lärarhandledningen.